Collection
PROFIL LITTÉRATURE
dirigée par Georges Décote

Série
PROFIL D'UNE

Candide (1759)

VOLTAIRE

Résumé
Personnages
Thèmes

POL GAILLARD

HATIER

Dans la collection « Profil », autres « Profils » à consulter dans le prolongement de cette étude sur *Candide.*

© HATIER, PARIS JANVIER 1992   ISSN 0750-2516   ISBN 2-218-04724-1

SOMMAIRE

Candide
ou l'optimisme (1759)

VOLTAIRE
(1694-1778)

CONTE PHILOSOPHIQUE
XVIIIᵉ s.

1. RÉSUMÉ

Le jeune Candide, un garçon simple au jugement droit, a été élevé dans le château du baron de Thunder-ten tronckh, le plus beau des châteaux de Westphalie. Il écoute attentivement les leçons du philosophe Pangloss qui soutient que tout est pour le mieux dans le meilleur des mondes possibles. Mais un jour, surpris en train d'embrasser Mademoiselle Cunégonde, la fille du baron, dont il est amoureux, il est renvoyé de ce paradis.

Brutalement enrôlé, il est entraîné dans une guerre effroyable, fuit en Hollande, puis retrouve Pangloss qui lui apprend que le château a été brûlé. Pour retrouver Cunégonde, il parcourt le monde et ne voit partout que massacres, injustices, fanatisme, intolérance. La nature même n'épargne pas les hommes : tremblements de terre, tempêtes et naufrages se succèdent.

Candide arrive dans le Nouveau Monde et découvre un univers fabuleux qui pourrait bien être enfin le pays où tout est au mieux : l'Eldorado, havre de paix où abonde l'or. Il rentre en Europe, mais sur le chemin du retour, il est de nouveau témoin ou victime d'atrocités : esclavage, vol, piraterie. Ébranlé par l'accumulation de toutes ces horreurs, il finit par douter de son maître Pangloss. Il retrouve enfin Cunégonde, mais elle a vieilli et s'est enlaidie. C'est la fin des illusions. Candide écoute alors le conseil d'un bon vieillard turc : il se contentera de « cultiver son jardin » et de goûter un bonheur à sa portée.

2. PERSONNAGES PRINCIPAUX

– **Candide** : héros du conte. Jeune garçon doux, innocent et attentif.
– **Pangloss** : philosophe ridicule qui défend obstinément les idées leibniziennes, soutenant à tout propos que tout est bien et refusant de remettre en cause son optimisme, même devant les pires catastrophes.

- **Cunégonde :** fille du baron, grande passion de Candide.
- **Martin :** philosophe pessimiste qui accompagne Candide en Europe.
- **Cacambo :** valet que Candide a amené de Cadix, aventurier et débrouillard.
- **La Vieille :** entremetteuse qui aide Candide et Cunégonde.

3. THÈMES

1. L'existence du mal : le mal est omniprésent ; les hommes agissent par intérêt, méchanceté et bêtise et sont en outre victimes des catastrophes naturelles.
2. Vanité des discours et rejet de la métaphysique : il ne sert à rien de raisonner et d'échafauder des théories sur ce que l'on ne peut vérifier (vie, mort, existence du mal).
3. Les bienfaits du travail : la parabole du jardin (« Il faut cultiver notre jardin ») oppose l'activité simple et utile aux raisonnements stériles.
4. La guerre : par son absurdité et sa cruauté, elle apparaît comme la plus haute manifestation du Mal.
5. L'esclavage : exemple même de l'atteinte aux droits de l'homme.
6. La condamnation du fanatisme religieux et de l'intolérance.

4. AXES DE LECTURE

1. Une critique de l'optimisme, notamment de la doctrine optimiste du philosophe Leibniz (1646-1716) selon laquelle notre monde est le « meilleur des mondes possibles ».
2. Satire et ironie : l'ironie consiste à feindre d'adopter le point de vue de l'adversaire. Procédé constant et proprement voltairien, qui fait de *Candide* une œuvre polémique et virulente.
3. Un message d'espoir : « il faut cultiver notre jardin », c'est-à-dire cultiver le bonheur qui est à portée de main.

1 Biographie de Voltaire (1694-1778)

Une jeunesse tumultueuse
(1694-1726)

François-Marie Arouet est né à Paris en 1694. Fils d'un notaire, il est issu d'une famille bourgeoise fortunée. Après des études chez les Jésuites, il fréquente les milieux littéraires et libertins et brille dans les salons par son esprit et son impertinence. Ses pamphlets contre le Régent lui valent une incarcération à la Bastille. En 1718, il fait jouer sa première tragédie, *Œdipe* et prend le nom de Voltaire, anagramme de Arouet L[e] l[eune] (V et U ; I et J : même graphie). Mais à la suite d'une altercation avec le chevalier de Rohan, il est de nouveau enfermé à la Bastille, puis contraint à quitter la France.

L'exil en Angleterre et le retour en France (1726-1734)

Il s'exile en Angleterre. Il y reste plus de deux ans et découvre avec enthousiasme la tolérance et le libéralisme des Anglais. A son retour en France, il donne plusieurs tragédies, dont *Zaïre* (1732) et surtout, il publie les *Lettres Philosophiques* (1734). L'œuvre est ironique et mordante : l'éloge de l'Angleterre présente en même temps une critique implicite de la France de Louis XV. Le livre, condamné par le Parlement, est saisi et brûlé.

Voltaire à Cirey (1734-1744) et à Paris (1744-1749)

Voltaire, menacé d'être arrêté, se réfugie chez la marquise du Châtelet, à Cirey, près de la frontière lorraine. Il passe auprès de cette femme savante et cultivée dix années studieuses et heureuses. Puis il se rend à Paris. Il est élu en 1746 à l'Académie française et tente de se faire une place à la Cour. Mais il ne réussit guère à s'acquérir les bonnes grâces du roi et de la reine.

Voltaire chez Frédéric II roi de Prusse (1750-1753)

A la mort de Madame du Châtelet, Voltaire accepte l'invitation de Frédéric II, roi de Prusse et se rend à Berlin. Voltaire admire en lui le souverain éclairé, Frédéric II courtise le philosophe poète. Voltaire publie à Berlin *Le Siècle de Louis XIV* (1752) et finit par se brouiller avec son hôte.

Voltaire aux « Délices » et à Ferney (1754-1778)

Voltaire quitte l'Allemagne mais ne peut toujours pas rentrer en France. Il achète alors une maison en Suisse, près de Genève qu'il nomme « Les Délices », puis il acquiert en France, sur la frontière, la terre et le château de Ferney qui deviendra sa résidence favorite à partir de 1760.

Mais son activité ne cesse pas pour autant : en 1756, il publie l'*Essai sur les mœurs* et le *Poème sur le désastre de Lisbonne* ; en 1759, *Candide ou l'Optimisme* ; en 1764, le *Dictionnaire philosophique* ; en 1767, *L'Ingénu*. Il devient le seigneur de Ferney, participe à la gestion et à la modernisation du village qu'il dote aussi d'une église. Il reçoit dans sa maison tous les esprits éclairés de l'époque, intervient en faveur des persécutés, réhabilite le protestant Calas accusé injustement d'avoir tué son fils qui voulait se convertir au catholicisme.

Voltaire quitte Ferney en 1778 pour se rendre à Paris. Il y est accueilli triomphalement. Il y meurt le 30 mai 1778, à quatre-vingt-quatre ans. Les funérailles religieuses lui furent refusées. On l'enterra clandestinement en Champagne, à l'abbaye de Scellières. En juillet 1791, ses cendres furent transférées au Panthéon.

2 Situation de Candide dans l'œuvre de Voltaire

■■■■ DE L'OPTIMISME AU PESSIMISME

Candide est le fruit de toute une expérience humaine. Aussi, avant d'aborder l'étude de l'œuvre, convient-il de retracer le cheminement intérieur de Voltaire qui l'a conduit à rejeter toute philosophie optimiste pour aboutir au pessimisme grinçant de ce conte.

Au début de sa carrière, Voltaire connaît la réussite la plus complète. Brillant, célèbre, admiré de tous, il est à la tête d'une certaine fortune personnelle, à l'abri des tourments et se félicite en outre d'être né dans un siècle de progrès et de civilisation. Le poème qu'il écrit en 1736, *Le Mondain*, fait preuve d'un optimisme provocant : « Le paradis terrestre est là où je suis. » Quelques années plus tard, vers cinquante ans, il devient historiographe du roi, poète officiel, membre de l'Académie française, gentilhomme ordinaire de la Cour. Aucune ombre n'apparaît au tableau. Cependant, Voltaire arrive à un tournant de sa vie : les déceptions et les échecs qu'il va subir l'affectent profondément. Son état de santé commence à l'inquiéter, ses ennemis le poursuivent de leurs attaques incessantes mais surtout, et plus grave encore, on se lasse de lui à la Cour.

Les premiers contes

C'est ainsi qu'en 1747, Voltaire fuit Versailles pour se réfugier chez la duchesse du Maine à Sceaux, où, dit-on, il commença à écrire des contes. On pratiquait en effet, à la Cour de Sceaux, des jeux de société comportant des gages : Voltaire aurait été soumis à l'obligation de composer un conte. Toujours est-il qu'à partir de cette époque, il éprouvera le besoin de s'épancher à travers ces récits fictifs qui seront porteurs de toute une philosophie : le bonheur humain est-il possible dans un monde qu'il découvrira habité par le mal et gâté par la sottise des hommes ? Ses premiers contes font encore preuve d'optimisme ; les suivants porteront les marques des épreuves de plus en plus lourdes qui s'abattront sur lui.

Le Crocheteur borgne : ce conte relate l'histoire du malheureux Mesmour, qui fait un rêve extraordinaire de bonheur : ainsi, malgré les injustices du destin, l'homme garde en lui une chance intacte d'être heureux à condition de savoir fermer l'œil devant le malheur.

Cosi-Sancta : cette jeune femme cause des malheurs quand elle conserve sa vertu, mais sauve trois vies en commettant trois infidélités à son mari. On grave sur son tombeau : « Un petit mal pour un grand bien. »

Le monde comme il va : Babouc est envoyé à Persépolis pour savoir si la ville mérite d'être sauvée ou s'il faut la détruire. Après une longue enquête, il conclut par ces mots : « Si tout n'est pas bien, tout est passable. » Voltaire ne désespère pas de trouver dans la vie quelque réconfort.

Zadig : le héros médite sur la destinée qui l'accable. Il apprend de l'ange Gesrad — qui se fait l'interprète de la pensée de Leibniz — que le mal existe et qu'il faut s'y résigner, car « il n'y a point de mal dont il ne naisse un bien ».

Memnon : ce personnage « conçut un jour le projet d'être parfaitement heureux », projet insensé selon Voltaire, qui a évolué depuis *Le Crocheteur borgne*. Le destin s'acharne sur le vertueux Memnon, bientôt malade, volé et éborgné. Un ange lui explique que tout est bien. Memnon cependant ne croira cela que lorsqu'il aura retrouvé son œil. Voltaire devient donc plus âpre : il nous faut prendre la vie comme elle vient et tenter de la trouver tolérable.

De « Micromégas » (1752) à « Candide » (1759)

Mais sa philosophie s'assombrit encore. Les épreuves vont s'accumuler : mort, en 1749, de Madame du Châtelet, son amie de toujours, échec de sa tragédie *Sémiramis*, séjour empli de désillusion en Prusse auprès de Frédéric II, et retour en France avec l'interdiction de franchir les portes de Paris.

En 1752, il publie *Micromégas* : un habitant de Sirius et un autre de Saturne se rendent sur notre planète et donnent « à la petite race humaine » une leçon de sagesse. Ils leur offrent un livre sur lequel est écrite la véritable philosophie : en fait, il est entièrement blanc. Tout serait bien, en somme, si les hommes voulaient être raisonnables et renoncer à chercher l'explication du monde.

En 1755, avec *Scarmentado*, Voltaire renonce à l'optimisme. Scarmentado a voyagé de par le monde et il dresse un bilan amer de ses tribulations : partout sévissent les guerres et le fanatisme. Désabusé, le héros rentre chez lui. Voltaire a soixante ans : lui aussi rêve d'une retraite paisible après tant d'amères désillusions. Il achète la propriété des *Délices* à Genève.

Mais de nouvelles épreuves plus graves encore vont conduire sa réflexion à maturité et assombrir définitivement sa philosophie : ce sont le tremblement de terre de Lisbonne qui, le 24 novembre 1755, détruit la ville en faisant quarante mille morts, et la guerre de Sept Ans, qui ranime les hostilités entre la France et la Prusse. A propos du premier événement, Voltaire publie le *Poème sur le désastre de Lisbonne*, violent réquisitoire contre la Providence qui permet des malheurs injustifiables et absurdes, qu'aucun esprit sage ne saurait accepter. Avec le nouveau conflit européen, qui succède sans transition au drame de Lisbonne, le monde est bouleversé, le sang coule. « Le tout est bien me paraît ridicule quand le mal est sur terre et sur mer », écrit-il, avec l'impression obsédante que le mal étend son domaine. L'histoire lui fournit une raison supplémentaire de désespérer : préparant son *Essai sur les mœurs*, il a exploré dix siècles d'atrocités et de sottises : « C'est un vaste tableau faisant peu d'honneur au genre humain. » Voltaire se réfugie aux Délices pour y cultiver son jardin.

Tel est l'enchaînement d'effets et de causes qui contribueront à la rédaction de *Candide*, œuvre de clairvoyance, de pessimisme et de résignation, mais aussi d'espoir : elle offre à l'homme un art de vivre et un moyen de donner un sens à son existence, car la vie, malgré tous ses maux, vaut la peine d'être vécue à condition de savoir goûter des satisfactions, modestes sans doute, mais réelles.

■■■■ LA PRUDENCE
DE VOLTAIRE

Les contes de Voltaire, cependant, ne se résument pas à une banale leçon de sagesse : ils dénoncent sans cesse, avec virulence, les excès de l'injustice comme de l'intolérance et ils visent très clairement certains adversaires comme les Jésuites. Cette audace de l'écrivain en religion ou en politique l'obligea souvent, comme bien des auteurs du XVIII⁰ siècle, à déjouer censure et police : impression des ouvrages à l'étranger, usage de pseudonymes... Voltaire pense que lorsqu'on brûle les hommes et les livres, la première exigence de la sagesse est de survivre, mais aussi de tromper les autorités pour que la vérité puisse apparaître quand même, nue, à tous ceux qui ont pour la voir des yeux libres et perspicaces, capables de chercher au-delà des apparences. Ainsi, à propos du *Dictionnaire philosophique*, il écrira à d'Alembert le 7 mai 1761 : « Dès qu'il y aura le moindre danger, je vous demande en grâce de m'avertir afin que je désavoue l'ouvrage dans tous les papiers publics avec ma candeur et mon innocence ordinaires. »

Pour *Candide*, Voltaire se surpasse : il prétend que le conte fut écrit par le frère de Candide, et traduit par un certain docteur Ralph, qui, bien sûr, n'existe pas. Il fixe sa demeure, l'année même où il rédige l'ouvrage, à proximité de trois frontières (France, Suisse, Savoie). Comme chacun reconnaît son style malgré ses précautions, il proteste de son innocence : « Qui sont ces oisifs qui m'imputent (...) cette plaisanterie d'écolier qu'on m'envoie de Paris ? J'ai vraiment bien autre chose à faire (...). Dieu me garde d'avoir la moindre part à cet ouvrage[1]. » Il brouille même totalement les cartes dans une lettre semi-publique au pasteur Vernes où il trouve le moyen à la fois de désavouer *Candide* et de soutenir, au nom de « notre sainte religion », que c'est un roman parfaitement orthodoxe : « J'ai lu enfin *Candide* ; il faut avoir perdu le sens pour m'attribuer cette coïonnerie ; j'ai, Dieu merci, de meilleures occupations. Si je pouvais excuser jamais l'Inquisition, je pardonnerais aux inquisiteurs du Portugal d'avoir pendu le raisonneur Pangloss pour avoir soutenu l'optimisme. En effet, cet optimisme détruit visiblement les

---

1. Lettres à Formey et à Thériot, mars 1759.

fondements de notre sainte religion ; il mène à la fatalité ; il fait regarder la chute de l'homme comme une fable, et la malédiction prononcée par Dieu même contre la terre comme vaine. C'est le sentiment de toutes les personnes religieuses et instruites : elles regardent l'optimisme comme une impiété affreuse[1]. »

Le choix d'un conte se prêtait admirablement d'ailleurs à cette prudence : romans et fictions sont alors considérés comme des genres mineurs, et rarement signés. Voltaire, auteur de genres nobles, épopée, tragédies, œuvres historiques ou philosophiques, a beau jeu de refuser la paternité de ce qu'il appelle parfois des « rogatons ». De plus, la fiction permet un certain flou sur la position exacte de l'auteur, tout en désignant clairement ses adversaires. Nous verrons que les commentateurs s'interrogent encore sur la signification exacte de *Candide* et en particulier sur le sens de la formule finale. Un ouvrage philosophique plus sérieux aurait été plus clair.

Par ses allusions, ses sous-entendus, son ironie constante, Voltaire demande au lecteur une complicité, une collaboration critique. N'a-t-il pas écrit un jour : « Les livres les plus utiles sont ceux dont les auteurs font eux-mêmes la moitié » ? Sa prudence augmente en fait le charme du récit, à la fois distraction plaisante et fécond exercice de la pensée.

---

1. Lettre du 15 mars 1759.

3 Résumé Schéma et carte

Chapitre 1. Le jeune Candide, un garçon doux et naïf, a été élevé en Westphalie, dans le château de monsieur et de madame la baronne de Thunder-ten-tronckh. Il écoute les leçons du précepteur Pangloss qui enseigne qu'il n'y a point d'effet sans cause et que tout est pour le mieux dans le meilleur des mondes. Mais, un jour, Candide est chassé de ce merveilleux château pour avoir essayé d'embrasser Mademoiselle Cunégonde, la fille du baron, pourtant consentante.

Chapitre 2. Candide erre tristement. Il est brutalement enrôlé dans l'armée et devient, bien malgré lui, soldat dans l'armée bulgare, au moment où le roi des Bulgares déclare la guerre au roi des Abares.

Chapitre 3. Candide se retrouve sur le champ de bataille. Il se cache, s'enfuit et passe en Hollande. Il se voit refuser l'aumône par un pasteur qui vient de prêcher sur la charité, pour la seule raison qu'il n'a pas l'air de croire que le pape soit l'Antéchrist[1]. Il est recueilli par Jacques, un bon anabaptiste[2].

Chapitre 4. Candide retrouve Pangloss, défiguré par la vérole, maladie qu'il a contractée dans les bras de Paquette, la suivante de la baronne. Il apprend à Candide que Cunégonde est morte, violée et éventrée par les Bulgares. Le bon anabaptiste recueille aussi Pangloss et emmène les deux amis à Lisbonne.

---

1. Antéchrist : imposteur, faux prophète, qui doit venir avant la fin du monde, pour essayer d'établir une religion opposée à celle de Jésus-Christ.
2. Le baptême donné à de tout jeunes enfants ne pouvant guère être considéré comme un acte engageant leur responsabilité personnelle, les anabaptistes soumettaient leurs adeptes à un second baptême lorsqu'ils avaient atteint l'âge adulte.

Chapitre 5. Le vaisseau est pris par une tempête. Le bon anabaptiste périt noyé. Au même moment sévit un terrible tremblement de terre : trente mille habitants périssent. Pangloss déclare que tout est au mieux. Il discute de l'optimisme, du péché originel, du déterminisme et de la liberté avec un officier de l'Inquisition.

Chapitre 6. A la suite du tremblement de terre, les Inquisiteurs décident d'organiser un auto-da-fé pour éviter une autre catastrophe. Deux Portugais soupçonnés de judaïsme sont brûlés. Pangloss est pendu pour avoir parlé, Candide est flagellé pour avoir écouté d'un air d'approbation. Le même jour, la terre tremble de nouveau avec un fracas épouvantable. Au moment où Candide s'enfuit, une vieille femme l'interpelle.

Chapitre 7. La vieille conduit Candide auprès de Cunégonde. Elle a bien été violée et éventrée, mais elle n'est pas morte.

Chapitre 8. Cunégonde raconte son histoire : toute sa famille a été massacrée. Elle-même a été sauvée et prise par un capitaine bulgare qui l'a vendue ensuite à un banquier juif, Don Issachar. Mais elle est aussi convoitée par le Grand Inquisiteur qui la partage avec Don Issachar. Elle a assisté à l'auto-da-fé et a demandé à la vieille servante d'Issachar, qui s'est attachée à elle, de soigner Candide et de le lui amener. C'est alors que survient Don Issachar.

Chapitre 9. Don Issachar veut poignarder Candide. Candide le tue. L'Inquisiteur arrive à son tour. Candide le tue aussi. Cunégonde, la vieille et lui s'enfuient sur trois chevaux andalous.

Chapitre 10. Un frère quêteur a volé pendant la nuit l'argent de Cunégonde. Tous trois arrivent cependant à Cadix. Là, on assemble des troupes contre les Jésuites du Paraguay. Candide se fait engager comme capitaine et s'embarque avec Cunégonde, la vieille et deux valets. La vieille raconte son histoire.

Chapitre 11. Fille du pape Urbain X, la vieille, à l'âge de quinze ans, a vu son fiancé mourir devant elle, empoisonné. Sa mère et elle, prises par des corsaires, ont subi d'horribles souffrances.

Chapitre 12. La vieille raconte qu'elle fut sauvée par un Italien qui la vendit au dey d'Alger. Elle échappa à la peste, mais passa comme esclave d'un maître à l'autre. Elle faillit être mangée avec les autres femmes, au siège d'Azof, par des guerriers turcs affamés. Mais ils renoncèrent à ce projet et amputèrent chaque femme d'une fesse dont ils firent leur repas. La ville fut prise par les Russes. La vieille devint servante de cabaret et tomba entre les mains de Don Issachar.

Chapitre 13. L'équipage arrive à Buenos-Ayres. Le gouverneur demande Cunégonde en mariage. A ce moment, Candide, poursuivi par la justice espagnole et reconnu comme l'assassin du Grand Inquisiteur, est obligé de fuir.

Chapitre 14. Candide, accompagné de Cacambo, valet débrouillard qu'il a engagé à Cadix, se rend chez les Jésuites du Paraguay en guerre avec l'Espagne. Il demande à parler au révérend père commandant qui se révèle être le propre frère de Cunégonde. Candide et lui se retrouvent avec des larmes de joie.

Chapitre 15. Le frère de Cunégonde raconte comment, après le massacre de sa famille, il était presque mort quand il fut sauvé par un jésuite, le Père Croust qui conçut pour lui une tendre amitié et le fit envoyer au Paraguay. Lorsque le frère de Cunégonde apprend que Candide ose prétendre à la main de sa sœur, l'orgueil nobiliaire se réveille en lui. Il frappe Candide. Candide le tue et pleure. Cacambo revêt Candide de la robe du Père et ils sortent du royaume avant qu'on ait découvert le meurtre.

Chapitre 16. Candide et Cacambo s'endorment dans un bois. A leur réveil, ils se découvrent prisonniers des Oreillons, qui les ont pris pour des Jésuites. Cacambo leur prouve qu'ils ne sont pas Jésuites. Les deux hommes sont alors traités avec les plus grands égards.

Chapitre 17. Les deux héros ne savent où aller. Apercevant une rivière, ils s'embarquent dans un canot et se recommandent à la Providence. Ils arrivent bientôt au merveilleux pays de l'Eldorado où les hommes se conduisent raisonnablement et sont heureux.

Chapitre 18. Ils sont invités dans le palais du roi et passent un mois dans cet univers de rêve. Ils décident cependant de ne pas y rester. On leur donne cent moutons chargés d'or et de pierres précieuses. Ils partent avec l'espoir de retrouver Cunégonde.

Chapitre 19. Candide et Cacambo arrivent en Guyane. Il ne leur reste plus que deux moutons : les autres sont morts de fatigue, de faim, ou ont péri dans un précipice. A Surinam, ils rencontrent un esclave noir affreusement mutilé et exploité par le négociant Vanderdendur. Candide se met à pleurer. Il envoie Cacambo à Buenos-Ayres pour racheter Cunégonde devenue la favorite du gouverneur. Ils s'attendront à Venise. Candide cherche à s'embarquer pour l'Italie. Il se fait berner par le négociant Vanderdendur qui lui propose de l'y mener, mais qui lui vole ses deux moutons et part sans lui, après avoir été payé. Désespéré par la méchanceté des hommes, Candide décide d'emmener avec lui l'homme le plus malheureux qu'il pourra trouver. Il choisit le philosophe Martin et part avec lui pour Bordeaux.

Chapitre 20. Pendant la traversée, Martin expose à Candide sa vision pessimiste du monde. Tout à coup, ils assistent à un combat naval. Des centaines d'hommes périssent. Candide aperçoit au milieu des flots un des moutons qu'il avait perdu. Il le retrouve avec joie.

Chapitre 21. Candide et Martin discutent en approchant des côtes françaises. Martin brosse un tableau sombre de la France et n'a plus d'illusion en ce qui concerne la nature humaine.

Chapitre 22. Candide arrive à Paris. Il rencontre un abbé périgourdin entremetteur qui lui fait les honneurs de la capitale : il le conduit au théâtre et l'emmène chez la marquise de Parolignac, une femme aux mœurs dissolues qui lui extorque de l'argent et des diamants. Candide, en compagnie de Martin, parvient à gagner Dieppe puis Portsmouth.

Chapitre 23. Candide ne veut pas débarquer, horrifié d'avoir vu fusiller de sang-froid par les Anglais l'amiral Byng, qui a commis le crime d'être vaincu.

Chapitre 24. Candide et Martin à Venise ne retrouvent pas Cunégonde, mais Paquette, l'ancienne maîtresse de Pangloss, devenue prostituée, accompagnée d'un moine, Frère Giroflée. Ce dernier laisse entendre que le couvent est un lieu où règnent la discorde et l'hypocrisie.

**Thunder-ten-tronckh
LE DOGME :**
«Tout est au mieux...» (1)

L'optimisme de Pangloss et la candeur de Candide confrontés à la RÉALITÉ DU MAL. L'accent est mis avant tout sur les malheurs humains, ceux que causent la nature, les coutumes, les institutions, l'état social.

Allemagne - Le recrutement forcé (2) - La guerre (3)

Hollande - La vérole (4)

Lisbonne - Les catastrophes naturelles : la tempête, le tremblement de terre (5)

Lisbonne - L'Inquisition (6)

En mer - Récit de la vieille : la guerre civile - La « rage des femmes » - La peste - La guerre (11-12)

Buenos-Aires - Les abus de pouvoir (13)

Paraguay - L'oppression paternaliste (14)

Territoire des Oreillons - Les mœurs étranges - L'anthropophagie (16)

**L'Eldorado
LE RÊVE**
La société idéale (17-18)

N
O - E
S

Surinam - LE RÉVEIL
« Une abomination », l'esclavage (19)

L'optimisme de Pangloss, le pessimisme de Martin, la candeur de Candide confrontés à la RÉALITÉ DU MAL. L'accent est mis cette fois sur les maux de l'âme : l'avidité, les vices, les passions, les faiblesse des hommes.

Surinam - La fourberie , la rapacité (19)

En mer - La piraterie, la guerre (20)

Paris - La vanité, la passion du jeu, l'hypocrisie, les faiblesses de la chair (22)

Angleterre - L'orgueil nationaliste (23)

Venise - La défiance - La prostitution - Les vocations forcées (24) - La satiété blasée - Les rois déchus (26)

Près de Constantinople - Récits du baron et de Pangloss : la luxure - la superstition (28)

Propontide - L'exploitation du travail d'autrui - L'ennui - L'ambition (30)

Les chiffres indiqués entre parenthèses renvoient aux chapitres

SILENCE AUX DOGMES !
Pour lutter contre le besoin, le vice, l'ambition, l'ennui,
CULTIVONS NOTRE JARDIN (30)

Candide décide d'aller trouver un certain Pococuranté, un homme qui n'a jamais eu de chagrin.

Chapitre 25. Pococuranté, riche, intelligent, comblé de tous les biens, n'est pas heureux. Rien ne peut lui plaire.

Chapitre 26. Candide et Martin soupent le même soir avec six rois détrônés. Même les rois sont donc les marionnettes du destin. Candide quitte Venise pour Constantinople avec l'espoir de retrouver Cunégonde.

Chapitre 27. Candide retrouve sur le vaisseau son ancien valet Cacambo devenu esclave et le rachète. En mer, sur une galère, il retrouve aussi Pangloss enchaîné et le frère de Cunégonde qu'il croyait avoir tué. Il ne reste plus qu'à aller délivrer Cunégonde, esclave en Propontide.

Chapitre 28. Pangloss et le frère de Cunégonde racontent leur histoire : l'un a été mal pendu, l'autre mal tué et tous deux ont été condamnés, pour affaire de mœurs, à ramer sur une galère.

Chapitre 29. Candide retrouve Cunégonde, devenue laide et acariâtre. Il la rachète et se résout à l'épouser.

Chapitre 30. Candide a acheté une petite métairie près de Constantinople. Toute la petite troupe s'y installe mais bientôt l'ennui gagne chacun d'eux. Ils consultent un derviche puis un bon vieillard qui les engage à travailler, à goûter un bonheur modeste, sans se poser trop de questions.

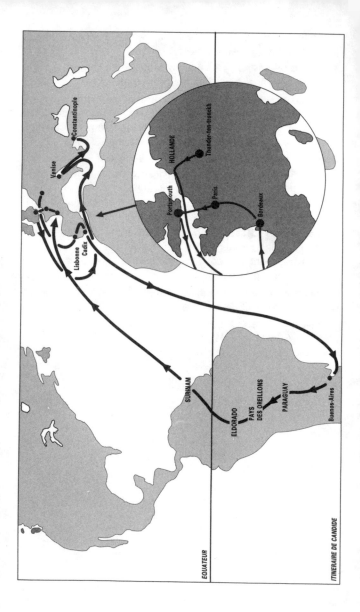

ITINÉRAIRE DE CANDIDE

ÉQUATEUR

Constantinople
Venise
Lisbonne
Cadix
HOLLANDE
Thunder-ten-tronckh
Portsmouth
Paris
Bordeaux
SURINAM
ELDORADO
PAYS DES OREILLONS
PARAGUAY
Buenos-Aires

20

4 Le problème du mal

Abordons le problème essentiel souligné très clairement par le sous-titre : *Candide ou l'Optimisme*. Il ne faut évidemment pas interpréter le terme d'« optimisme » au sens courant actuel (« tournure d'esprit qui dispose à prendre les choses du bon côté, en négligeant leurs aspects fâcheux », dit le Petit Robert). Le mot, dans le conte, a une résonance philosophique très précise : il se réfère à la doctrine optimiste de Leibniz (1646-1716), fort en vogue à l'époque, selon laquelle notre monde est « le meilleur des mondes possibles ».

◼◼◼◼◼ L'OPTIMISME LEIBNIZIEN

Leibniz, philosophe et mathématicien, développe ses idées philosophiques dans de nombreux ouvrages. Dans la *Théodicée* (parue en 1710 et traduite en français en 1747), il aborde plus particulièrement le problème de la compatibilité du mal avec l'existence de Dieu.

Voici la démonstration qu'il établit :

Si Dieu existe, il est parfait, et il est seul parfait. Par conséquent, tout ce qui n'est pas lui est nécessairement imparfait — sinon Dieu ne serait pas Dieu ; il y aurait contradiction.

Mais, d'autre part, si Dieu est parfait, il est, par la même nécessité :
- tout-puissant ; il peut tout ce qu'il veut,
- toute bonté et toute justice ; il ne veut que le bien,
- toute sagesse ; il sait exactement et harmonieusement adapter les moyens aux fins.

Il en résulte que, si Dieu existe, il a nécessairement *pu*, *voulu* et *su* créer le moins imparfait de tous les mondes imparfaits théoriquement concevables, le mieux adapté aux fins suprêmes — *le meilleur des mondes possibles.* D'où le nom de la théorie, qui vient du latin *optimum* et du suffixe -isme : « la doctrine du meilleur ».

On comprend, dès lors, pourquoi Pangloss affirme dès sa première tirade (chap. 1) : « Par conséquent, ceux qui ont avancé que tout est bien ont dit une sottise ; il fallait dire que tout est au mieux. »

La formule « Tout est bien » est une sottise, en effet, même s'il arrivait à des leibniziens, à Pope par exemple, et à Pangloss lui-même de l'employer dans la conversation. Le mal existe, Leibniz ne le nie pas. Il affirme seulement, si l'on peut dire, que tous les maux de la création et des créatures ne pouvaient pas être moindres, et qu'en réalité ils ne sont tels que pour ceux qui les soufflent. Ils trouveraient leur explication et leur justification si nous étions capables de voir l'ensemble. Dans *l'harmonie* de l'immense tableau composé par le grand peintre de l'univers, « les ombres rehaussent les couleurs », selon Leibniz. « Ainsi les difformités apparentes de nos petits mondes se réunissent en beautés dans le grand (...). Les défauts apparents du monde entier, ces taches d'un soleil dont le nôtre n'est qu'un rayon, relèvent sa beauté bien loin de la diminuer[1]. »

Les phénomènes les plus déconcertants trouvent donc leur justification, vus d'en haut, et sont réglés selon une ordonnance précise et harmonieuse qui échappe au commun des mortels. Un mal apparent peut donc cacher un bien : ce jeune garçon qui vient de mourir serait devenu un assassin ; cette maison a pris feu, mais elle cachait sous ses ruines un trésor immense, etc.

■■■■ VOLTAIRE, UN OPTIMISTE REPENTI

Pourtant, Voltaire fut à une époque... leibnizien. Dans la première partie de sa vie, alors que tout lui réussissait, n'écrivait-il pas dans *Le Mondain* un hymne au bonheur, enthousiasmé par les progrès du siècle des Lumières au point de s'exclamer : « Le Paradis terrestre est où je suis » !

---

1. Leibniz, *Théodicée*, édition de Jancourt, parue en 1747 (douze ans avant *Candide*), II, 12 et 53 ; III, 149.

Voltaire, pendant quelques années, s'est attaché à la doctrine de Leibniz, acceptant parfois ses conséquences les plus absurdes. Il s'en souvient lorsqu'il écrit *Candide*. Il met dans la bouche de Pangloss, presque textuellement, certaines des phrases qu'il a écrites lui-même ; il les modifie juste assez pour que le grotesque et l'odieux en apparaissent en pleine lumière : « Ce qui est mauvais par rapport à nous est bon dans l'arrangement général », écrivait Voltaire en 1738. Pangloss énoncera crûment, cruellement : « Les malheurs particuliers font le bien général » (chap. 4).

Et Voltaire lui aussi, comme Pangloss à Lisbonne, a été dénoncé par des révérends pères comme « leibnizien », c'est-à-dire comme « niant en fait le péché originel ». Écoutons ce que disait le Père Castel dans le *Journal de Trévoux* en février 1737 : « Un Pope en Angleterre, un Voltaire en France, comme s'ils avaient une mission pour cela, et avec une espèce d'enthousiasme, ne cessent de nous prêcher, en prose et en vers, qu'il n'y a pas de mal, que la nature est bien, que le système régnant est celui de la belle nature, qu'elle est telle qu'elle a dû être, et qu'elle ne pouvait être autrement. »

Le Père Castel peut se fonder, pour écrire cela, sur bien des textes du philosophe, mais il ne devine pas la réalité psychologique, à la fois beaucoup plus complexe et beaucoup plus simple ; selon ses joies et ses peines, selon sa maladie, ses humeurs, ses succès ou ses échecs au théâtre, selon que l'Europe connaissait la paix ou la guerre, que la philosophie était écoutée ou persécutée, Voltaire inclinait vers l'optimisme ou vers le pessimisme — comme presque nous tous, au gré des vents !... Du moins savait-il presque toujours s'en rendre compte. L'évolution de Candide reflète celle de son créateur jusque dans ses brusques passages de l'espérance au désespoir.

■■■■ VOLTAIRE CONTRE LEIBNIZ : LA CRITIQUE DE L'OPTIMISME

La constatation que le mal est partout et que la Providence ne vient pas au secours des hommes pousse Voltaire à dénoncer sévèrement la philosophie optimiste. Il met donc en scène un philosophe ridicule, Pangloss, qui défend obstinément les idées leibniziennes, soutenant à tout propos que tout est pour le mieux dans le meilleur des mondes et refusant de remettre en cause son optimisme même devant les pires catastrophes. Voici à titre d'exemple ce qu'il déclare après le tremblement de terre de Lisbonne : « Car, dit-il, tout ceci est ce qu'il y a de mieux. Car, s'il y a un volcan à Lisbonne, il ne pouvait être ailleurs ; (...) Car tout est bien » (chap. 5).

Voltaire prend plaisir à réfuter tout au long du conte la philosophie leibnizienne en opposant constamment aux assertions optimistes de Pangloss le démenti des faits. Le jeune Candide, qui a été élevé selon les préceptes de Pangloss, est ébranlé par l'accumulation des horreurs qu'il découvre dans le monde et finit par douter de son maître à penser. « (L'optimisme), c'est la rage de soutenir que tout est bien quand on est mal », déclare-t-il après sa rencontre avec le Nègre de Surinam (chap. 19). A la fin de *Candide*, le lecteur est édifié : le système de l'optimisme philosophique n'est qu'une vue de l'esprit ; il n'est pas seulement ridicule et odieux, il est absurde.

■■■■ PORTÉE DE LA CRITIQUE VOLTAIRIENNE

Rousseau avait pris soin de rappeler à Voltaire, dans sa fameuse lettre du 18 août 1756 en réponse au *Poème sur le désastre de Lisbonne*, que la démonstration de Leibniz était absolument contraignante quant à l'existence de Dieu : « Ces questions se rapportent toutes à celles de l'existence de Dieu. Si Dieu existe, il est parfait, s'il est parfait, il est sage, puissant et juste ; s'il est sage et puissant, etc. Si l'on m'accorde la première proposition, jamais on n'ébranlera les suivantes ; si on la nie, il ne faut pas discuter sur ses conséquences. »

On ne peut vraiment pas dire que Voltaire, en dénonçant « l'optimisme », ignorait la portée réelle de sa critique.

Mais alors une question se pose : quelle conclusion, sur le plan philosophique, Voltaire souhaite-t-il nous faire tirer de *Candide* ? Serait-ce l'athéisme ? Pangloss a beau employer constamment les mots « il est *démontré* », « il est *prouvé* »,

Voltaire nous fait comprendre dès le début du conte que ces démonstrations, ces preuves, même lorsqu'elles tiennent logiquement, ce qui est rare pour Pangloss, ne sont que des théories et *a priori* (il le dit expressément, dans une de ses phrases les plus accusatrices[1]). Elles n'ont aucun fondement dans le réel. « Si c'est ici le meilleur des mondes possibles, que sont donc les autres ? » s'étonne à Lisbonne le pauvre Candide après une première série d'épouvantables malheurs. Cette remarque, chaque lecteur, à la fin du chapitre 5, est prêt à la faire sienne. Voltaire a déjà gagné. « Les preuves » de Pangloss n'ont pas résisté à « l'épreuve » des faits. Elles se révèlent déjà, après vingt pages, pour ce qu'elles sont, des vessies gonflées de vent qu'il ne peut plus être question de nous faire prendre pour des lumières, même pour des lanternes.

Sans doute. Mais pourquoi Voltaire n'a-t-il jamais donné en entier le raisonnement de Leibniz, et en particulier son point de départ (si Dieu existe, il est parfait, et la création est parfaite) ? Pense-t-il que tous les lecteurs du XVIIIᵉ siècle le connaissent suffisamment ? A-t-il peur que n'apparaisse trop criante la déduction : « Puisque tout n'est pas au mieux, c'est que le premier point de ce raisonnement est à reprendre : la divinité toute-puissante et parfaitement bonne n'existe pas » ? Veut-il nous la faire trouver nous-mêmes en ne l'insinuant dans notre esprit que peu à peu, pour le cas probable où nous répugnerions à l'accepter de but en blanc ? Pour certains, la réponse semble claire. Comme le pensait déjà au XVIIIᵉ siècle Naigeon, l'ami de Diderot, ils concluent de *Candide* que la doctrine secrète de son auteur était très vraisemblablement la négation complète du divin.

---

1. Pangloss vient d'empêcher Candide de sauver le bon anabaptiste, « en lui prouvant que la rade de Lisbonne avait été formée exprès pour que cet anabaptiste s'y noyât ». Voltaire enchaîne aussitôt, imperturbable : « Tandis qu'il le prouvait *a priori*, le vaisseau s'entrouvre, tout périt, à la réserve de Pangloss, de Candide et de ce brutal matelot qui avait noyé le vertueux anabaptiste... »

En réalité, une telle hypothèse doit être écartée. L'étude de l'œuvre voltairienne montre de manière sûre qu'il était déiste[1], et deux passages de *Candide*, l'utopie de l'Eldorado et l'apologue du derviche, semblent préconiser une forme particulière de religion.

Le dieu d'Eldorado (chap. 18)

Ce passage est d'autant plus intéressant qu'il peint un pays jugé idéal. Nous pouvons donc espérer y trouver les conceptions personnelles de Voltaire. Or les habitants sont monothéistes.

Le héros demande à son hôte comment ils prient Dieu : « Nous ne le prions point, dit le bon et respectable sage ; nous n'avons rien à lui demander ; il nous a donné tout ce qu'il nous faut ; nous le remercions sans cesse. » La distinction entre la prière qui demande et l'action de grâce, qui remercie vise à mettre en contradiction avec eux-mêmes de nombreux chrétiens mais aussi des théistes, qui supplient facilement la divinité de leur accorder ses bienfaits. Or Voltaire a toujours soutenu que demander quelque chose à Dieu est de l'outrecuidance, puisque c'est supposer que Dieu à la suite d'une requête pourrait modifier si peu que ce soit ses desseins éternels, donc que ceux-ci n'étaient pas excellents.

Autre critique des religions établies, et particulièrement du clergé chrétien, auquel Voltaire reproche ses abus de pouvoir et son intolérance : l'Eldorado ne connaît pas d'intermédiaires entre Dieu et les hommes. Lorsque Candide demande à voir les prêtres, le vieillard répond en souriant : « (...) nous sommes tous prêtres ; le roi et tous les chefs de famille chantent des cantiques d'actions de grâces solennellement, tous les matins. » La suite du texte accentue la charge contre le catholicisme, avec la réaction de Candide : « Quoi ! vous n'avez point de moines qui enseignent, qui disputent, qui gouvernent, qui cabalent, et qui font brûler les gens qui ne

---

1. Le déisme est une croyance en l'Être suprême, mais il n'accepte pas les dogmes et les pratiques d'une religion. Voir en particulier l'ouvrage de René Pomeau, *La Religion de Voltaire*, éd. Nizet, 1956.

sont pas de leur avis ? Il faudrait que nous fussions fous, dit le vieillard ; nous sommes tous ici du même avis, et nous n'entendons pas ce que vous voulez dire avec vos moines. »

Cette dernière phrase marque cependant la limite de l'enseignement réel que pourrait fournir le passage. L'Eldorado est en effet le pays du bonheur, où n'existent ni les cataclysmes naturels, ni la méchanceté humaine. Le consensus s'y réalise donc facilement, et le problème du mal, qui déchire les philosophes et les théologiens, ne s'y pose pas. Une minute auparavant d'ailleurs, le vieillard a dit, en « rougissant » : « Nous avons, je crois, la religion de tout le monde : nous adorons Dieu du soir jusqu'au matin. » « Du soir jusqu'au matin », cette expression qui retourne l'expression courante fait penser davantage, on l'avouera, étant donné l'atmosphère d'indécence désinvolte qui règne dans tout *Candide*, à une certaine « religion de tout le monde[1] » fort nécessaire à la propagation de l'espèce selon le plan divin, plutôt qu'aux pieuses dévotions des moines contemplatifs.

Voltaire s'oppose donc aux excès du christianisme, mais ne propose en échange qu'une religion inoffensive et vague, sans donner de véritable solution au problème posé par l'optimisme. Il nous invite à ne pas prendre trop au sérieux cette aimable contrée, qui relève davantage du rêve que d'une réponse valable ici et maintenant. Candide ne s'y attarde d'ailleurs pas et préfère chercher le bonheur dans le monde réel.

L'apologue du derviche (chap. 30)

C'est donc à la fin du conte que se situe sans doute d'une façon plus claire la position de Voltaire sur l'existence du mal et notre attitude envers Dieu. La consultation donnée par le derviche très fameux qui passe pour le meilleur philosophe de la Turquie ne plaide pas en faveur de l'athéisme, mais révèle l'impossibilité de connaître les intentions du créateur.

---

1. Beaumarchais, qui connaissait bien son Voltaire dont il fut le premier grand éditeur posthume, a repris partiellement cette plaisanterie : « Quand cesserez-vous, importun, de me parler de votre amour du matin au soir ? » demande Suzanne à Figaro qui vient de l'embrasser. Figaro répond, « mystérieusement », nous dit l'auteur : « Quand je pourrai te le prouver du soir jusqu'au matin. »

Le ton est sérieux cette fois, bien que Candide, ignorant des usages turcs, appelle cocassement le derviche « mon révérend père ». Alors même que le derviche n'a formulé aucune thèse, bien au contraire, Candide lui oppose, obsédé en réalité par les théories de Pangloss, l'objection décisive :

> — Mais, mon Révérend Père [...], il y a horriblement de mal sur la terre.
> — Qu'importe, dit le derviche, qu'il y ait du mal ou du bien ? Quand Sa Hautesse envoie un vaisseau en Égypte, s'embarrasse-t-elle si les souris qui sont dans le vaisseau sont à leur aise ou non ?

La phrase, à la vérité, est aussi négative que la constatation désolée de la sagesse hindoue : « Le sens du monde est aussi inaccessible à l'homme que la conduite des chars des rois aux scorpions qu'ils écrasent », et le derviche ne la présente aucunement comme satisfaisante. A Pangloss qui n'a pas encore compris, et qui se flatte de *raisonner* un peu, avec celui qu'il considère comme son collègue, « des effets et des causes, du meilleur des mondes possibles, de l'origine du mal, de la nature de l'âme et de l'harmonie préétablie », le derviche, brutalement, ferme la porte au nez. Il lui a dit déjà une fois de se *taire*, et il entend qu'il le fasse. On ne *raisonne* pas sur l'invérifiable.

Mais cette injonction, remarquons-le, n'implique nullement l'athéisme. De nombreux apologistes chrétiens la formulent avec la même force : « Humiliez-vous, raison impuissante, taisez-vous, nature imbécile », crie Pascal. « La sagesse humaine apprend beaucoup si elle apprend à se taire », dit Bossuet. L'auteur de *Candide* est ici en bonne compagnie...

Autres témoignages sur la foi de Voltaire

De fait, l'étude attentive de ses textes les plus personnels — ses lettres écrites à des correspondants sûrs, son *Carnet de notes* ou encore certains poèmes — oblige à dire que Voltaire semble bien n'avoir jamais conclu pour sa part, à aucun moment de sa vie, pour l'athéisme. Sa position la plus extrême sur ce point, c'est le doute, comme il l'indique d'ailleurs très nettement dans son *Poème sur le désastre de Lisbonne*.

Voltaire avait employé la comparaison des souris dès 1736, vingt-trois ans avant *Candide*, dans une lettre au prince Frédéric de Prusse où il n'avait aucune raison pour n'être pas sincère : « Il n'y a pas d'apparence que les premiers principes des choses soient jamais bien connus. Les souris qui habitent quelques petits trous d'un bâtiment immense ne savent ni si ce bâtiment est éternel, ni quel en est l'architecte, ni pourquoi cet architecte qui a bâti cet univers n'a pas encore, que je sache, dit son secret à aucun de nous. » Ce texte est significatif : Voltaire envisage un instant que l'immense bâtiment de l'univers puisse être lui-même éternel — donc, semble-t-il, incréé. Mais, cette hypothèse à peine émise, Voltaire l'abandonne, et il s'interroge sur l'*architecte*, il l'appelle *divin*, tout en étant bien obligé de reconnaître que ce Dieu n'a révélé à personne l'énigme du monde.

Va-t-il s'en tenir là ? — Non. Il essaie d'aller plus loin. Refusant résolument le Dieu jaloux de saint Augustin et des Jansénistes, celui dont Pascal a osé écrire « qu'on n'entendait rien à ses ouvrages si l'on ne prenait pour principe qu'il a voulu éclairer les uns et aveugler les autres[1] », Voltaire compose à plusieurs reprises, pour lui seul, de véritables prières. Il fait à Dieu, en quelque sorte, l'hommage de ses doutes et de son incrédulité, comme d'une exigence d'amour :

> Entends, Dieu que j'implore, entends, du haut des cieux,
> Une voix plaintive et sincère ;
> Mon incrédulité ne doit pas te déplaire,
> Mon cœur est ouvert à tes yeux ;
> On te fait un tyran, en toi je cherche un Père,
> Je ne suis pas chrétien, mais c'est pour t'aimer mieux[2].

Voltaire avoue (c'est encore dans une lettre, à Frédéric) : « Je ne crois pas qu'il y ait de démonstration proprement dite de l'existence de cet Être suprême indépendant de la matière... On ne peut appeler démonstration un enchaînement d'idées qui laisse toujours des difficultés (...) Donc cette vérité ne peut être mise au rang des démonstrations proprement dites. » Cependant, Voltaire ajoute aussitôt : « Je

---

1. *Pensées*, éd. Brunschvicg, n° 566.
2. *Épître à Uranie* et *Poème sur la loi naturelle*. L'*Épître à Uranie* n'était pas destinée primitivement à la publication.

la crois cette vérité ; mais je la crois comme ce qui est le plus vraisemblable ; c'est une lumière qui me frappe à travers mille ténèbres[1]. »

On a oublié en général ces phrases de Voltaire. Elles existent pourtant. Voltaire *croit*, et *sans comprendre*. « Je ne saurais comprendre (...) s'il y a un Dieu ou s'il n'y en a point », note-t-il dans son *Carnet*[2]. Cela dépasse notre intelligence ! D'un côté, l'agencement de l'univers, cette horloge qui « marche », finalement, malgré toutes les catastrophes, et qui implique donc un horloger[3] ; de l'autre, toutes les souffrances et les injustices du monde, la monstrueuse inégalité des possibilités de bonheur et de malheur entre les êtres.

■■■■ LES LEÇONS DE « CANDIDE »

Le rejet de toute métaphysique

Telle est, sur le plan dont nous parlons, la première leçon indiscutable de *Candide*, c'est-à-dire le refus absolu de toute métaphysique — autant par modestie devant l'inconnaissable que par réalisme devant l'expérience. On juge un arbre à ses fruits, dit l'Évangile. Or les fruits de la métaphysique empoisonnent les humains. Les dogmes n'expliquent pas les maux des hommes, ils les aggravent. Voltaire ne le prouve pas, il le montre. La métaphysique est littéralement, dit-il, une *vanité*, c'est-à-dire à la fois du vide et de l'orgueil, une maladie de l'esprit qui engendre nécessairement une sorte d'inconscience du réel, grotesque chez Pangloss, hypocrite chez la plupart, monstrueuse chez les Inquisiteurs. Voltaire, sur ce point, est intarissable :

Écartons ces romans qu'on appelle systèmes[4].

Le sang a coulé (...) pour des arguments de théologie,

---

1. Lettre du 17 avril 1737.
2. *Notebooks*, p. 74.
3. « L'univers m'embarrasse et je ne peux songer
Que cette horloge marche et n'ait pas d'horloger »
(*Satires, Les Cabales*).
4. *Poème sur la loi naturelle.*

tantôt dans un pays, tantôt dans un autre, pendant cinq cents années presque sans interruption, et ce fléau n'a duré si longtemps que parce qu'on a toujours négligé la morale pour le dogme [1].

Il n'y a pas un article de foi qui n'ait enfanté une guerre civile[2].

Tout dogme est ridicule, funeste ; toute contrainte sur le dogme est abominable. Ordonner de croire est absurde. Bornez-vous à ordonner de bien vivre[3].

La morale de l'expérience

Et la leçon du conte sur le plan moral dont Voltaire vient de nous dire qu'il est le plus important à ses yeux, c'est également la sagesse pratique, car notre raison est une raison humaine, terrestre, féconde uniquement selon nos expériences. Ne l'employons donc que pour la terre, en la soumettant toujours au contrôle des faits. *Candide* est certainement le texte le plus « laïque » de toute son œuvre. Presque partout ailleurs, en effet, Voltaire fonde expressément la morale sur la croyance en Dieu, parfois avec une éloquence superbe, parfois aussi en des termes qui font douter de sa bonne foi :

Adore, et sois juste[4].

Tout ce que je puis vous dire, c'est que si vous avez commis des crimes en abusant de votre liberté, il vous est impossible de prouver que Dieu soit incapable de vous en punir ; je vous en défie (...). Le meilleur parti que vous avez à prendre est d'être honnête homme tandis que vous existez[5].

(C'est ici ce que l'on peut appeler *le pari de Voltaire*).

Je veux que mon procureur, mon tailleur, mes valets, ma femme même croient en Dieu ; et je m'imagine que j'en serai moins volé et moins cocu (...). La croyance des peines et des récompenses après la mort est un frein dont le peuple a besoin[6].

1. *Essai sur les mœurs*. Conclusion.
2. Dernières remarques sur les *Pensées* de M. Pascal (n° 89).
3. Remarques sur le *Contrat social*, de Jean-Jacques Rousseau.
4. *Œuvres*, éd. Moland, XXXVII, 56.
5. *Histoire de Jenni*, chap. X.
6. *Œuvres*, éd. Moland, XXVI, 511, et XXVII, 399.

Dans *Candide*, aucun besoin de recourir à l'éternel créateur pour apprendre que ce sont les actions des hommes qui importent, aucun envoyé de Dieu déguisé en ermite comme dans *Zadig*, aucun génie Ituriel comme dans la vision de Babouc (*Le monde comme il va*), aucun ange gardien comme dans *Memnon*, même pas le rappel solennel des *Lettres philosophiques* :

> Le port règle ceux qui sont dans un vaisseau ; mais où trouverons-nous ce point dans la morale, demande l'auteur des *Pensées* ? — Dans cette seule maxime reçue de toutes les nations : « Ne faites pas à autrui ce que vous ne voudriez pas qu'on vous fît[1]. »

Non, aucun prêche dans notre conte. Simplement la succession impitoyable, à côté des maux dont les hommes sont frappés par la nature, de ceux dont ils se frappent eux-mêmes, et dont il est permis de croire qu'ils pourraient se délivrer s'ils le voulaient vraiment. La leçon se dégage toute seule de chaque chapitre. Au lieu de prier la divinité qu'elle les délivre du mal et de se plaindre d'elle ou de la louer, que les humains, s'ils sont capables de quelque sang-froid, regardent en face les horreurs qu'ils s'infligent, et qu'ils en tirent les conséquences. Hommes, délivrez-vous du mal, aidez-vous vous-mêmes.

---

1. *Lettres philosophiques*, Remarques sur les *Pensées* de M. Pascal, n° 42.

« Il faut cultiver notre jardin »

▬▬▬ VANITÉ DES DISCOURS

Nous venons de voir que Voltaire récuse toute métaphysique. Il ne s'en tient pas là et propose dans les dernières lignes du livre un idéal de vie ou du moins une recette pour trouver ce que la terre peut nous offrir de bonheur.

« Il faut cultiver notre jardin » : aucune formule, peut-être, n'a suscité autant d'exégèses — ce qui est vraiment un comble, car s'il est une leçon qui se dégage à l'évidence du chapitre final de *Candide* quand on le lit sans prévention, c'est bien celle-ci : il ne faut pas pérorer, il faut agir.

Cette leçon se dégage d'ailleurs de l'ensemble du conte. Même lorsqu'il s'agit de lui, Pangloss ne peut s'empêcher de disserter : affreusement malade à Amsterdam et tout couvert de pustules, il ne manque pas de faire un historique complet de la propagation de la syphilis. A quoi Candide lui rétorque simplement : « Voilà qui est admirable (...) ; MAIS IL FAUT VOUS FAIRE GUÉRIR[1] » (chap. 4), et Candide s'entremet aussitôt auprès du bon anabaptiste pour lui faire donner les soins nécessaires... Pangloss a-t-il compris ? — Non. Lorsque Candide à son tour « se meurt » à Lisbonne et demande à son maître « un peu de vin et d'huile », Pangloss disserte tout autant :

> Ce tremblement de terre n'est pas une chose nouvelle, répondit Pangloss ; la ville de Lima éprouva les mêmes secousses en Amérique l'année passée ; mêmes causes, mêmes effets : il y a certainement une traînée de soufre sous terre depuis Lima jusqu'à Lisbonne » (chap. 5).

----
1. Le graphisme en lettres capitales est de l'auteur de ce livre, et ne figure pas dans le texte de Voltaire.

A la fin du conte, Pangloss disserte sur « les grandeurs, qui sont fort dangereuses », sur la prescription de Dieu à l'homme lorsque celui-ci « fut mis dans le jardin d'Éden (...) *ut operaretur eum*, pour qu'il travaillât », et il entame à nouveau, bien entendu, sa grande tirade sur l'enchaînement des causes :

> Car enfin, si vous n'aviez pas été chassé d'un beau château à grands coups de pied dans le derrière pour l'amour de Mlle Cunégonde, si vous n'aviez pas été mis à l'Inquisition, si vous n'aviez pas couru l'Amérique à pied, si vous n'aviez pas donné un bon coup d'épée au baron, si vous n'aviez pas perdu tous vos moutons du bon pays d'Eldorado, vous ne mangeriez pas ici des cédrats confits et des pistaches » (chap. 30).

Candide, fort de son expérience, interrompt les élucubrations de son ancien maître à penser, conscient désormais de leur vanité. Il a choisi l'action et conclut avec fermeté : « CELA EST BIEN DIT, (...) MAIS IL FAUT CULTIVER NOTRE JARDIN. »

Zadig, autrefois, répondait également par des MAIS... aux explications peu convaincantes de l'ange Jesrad ; cependant, malgré son intelligence bien supérieure à celle de Candide, il n'osait pas aller plus loin que les points de suspension, s'opposer de façon résolue aux logorrhées théologiques. Voltaire et Candide, maintenant, n'hésitent plus. Voici la lettre extrêmement brève que Voltaire fait parvenir à Rousseau en réponse à celle extrêmement longue que lui avait adressée sur l'optimisme l'auteur de cette phrase bien digne de Pangloss : « Commençons par écarter tous les faits, car ils ne touchent pas à la question[1] » :

> ...VOTRE LETTRE EST TRÈS BELLE, MAIS j'ai chez moi une de mes nièces qui, depuis trois semaines, est dans un assez grand danger, je suis garde-malade et assez malade moi-même. J'attendrai que je me porte mieux et que ma nièce soit guérie pour penser avec vous[2].

Rousseau, on le voit, n'avait certainement pas tort de croire que *Candide* le visait directement : « Je voulais philosopher

---

1. Cette phrase du *Discours sur l'inégalité* (coll. « Idées », p. 45) est un peu moins ridicule replacée dans son contexte, mais elle demeure le symbole typique des discussions *a priori* que Voltaire ne pouvait pas supporter.
2. Lettre du 2 septembre 1756.

avec lui, avouera-t-il ingénument ; en réponse, il m'a per-siflé[1]... » Simplement, avec Rousseau, Voltaire en persiflait bien d'autres : tous les *discoureurs a priori*, tous les faiseurs de dogmes et de *systèmes*.

A tous ces systèmes, Voltaire oppose le silence. La réponse du derviche à Pangloss est très claire : « Que faut-il donc faire ? dit Pangloss. — Te taire, dit le derviche. » C'est la réponse de Voltaire à tous les métaphysiciens, une invitation au silence devant l'incompréhensible.

■■■ LES BIENFAITS DU TRAVAIL

La parabole du jardin oppose l'activité simple et utile aux discours inefficaces et aux raisonnements stériles. Après avoir parcouru le monde, les héros du conte se sont installés dans une petite métairie en Propontide. Mais voilà qu'ils s'ennuient à périr et maudissent leur destinée.

Cacambo *travaille*, seul, au jardin de Candide, il va également seul, vendre les légumes du jardin à Constanti-nople ; il est *excédé de travail*, et il *maudit sa destinée* (chap. 30). Les autres qui exploitent son labeur, s'ennuient à périr et maudissent leur destinée de la même façon. Cunégonde et la vieille sont insupportables ; Candide, hélas, n'a plus d'amour.

C'est alors que Pangloss, Candide et Martin rencontrent un bon vieillard qui leur vante les bienfaits du travail : « Le travail éloigne de nous trois grands maux, l'ennui, le vice et le besoin. » Ces paroles portent leurs fruits et la petite communauté se met au travail. Tous s'épanouissent et retrouvent leur bonne humeur. Le travail éloigne l'ennui : il crée diversion et permet à l'homme d'oublier quelque peu les malheurs de sa condition. Voltaire écrivait dans sa correspondance en 1754 : « J'ai toujours regardé le travail comme la plus grande consolation pour les malheurs insé-parables de la condition humaine. »

Il éloigne le vice en permettant à chacun de donner le meilleur de lui-même. Cunégonde est devenue laide et

---

1. Lettre au duc de Wurtemberg, 11 mars 1764.

acariâtre, mais elle se met à faire des pâtisseries : en se rendant utile, elle redeviendra sans doute gaie et aimable ; Paquette, l'ancienne suivante de la baronne, devenue prostituée, se rachète en brodant ; Frère Giroflée, le moine libertin et mauvais sujet, devient menuisier et « honnête homme ».

Enfin, le travail éloigne le besoin : la petite terre rapporta beaucoup et permit à tous de vivre des productions de la petite métairie.

Ainsi, on ne peut sans doute pas résoudre le problème de l'existence du mal, mais on peut tenter de trouver un mode de vie qui apporte un certain nombre de satisfactions, modestes mais réelles.

▰▰▰ UNE FORMULE SYMBOLIQUE

« Il faut cultiver notre jardin », répète Candide. A nous d'élargir la formule comme nous voulons — sans pérorer.

La phrase se prête admirablement au symbole. N'évoquons pas, comme Pangloss et certains critiques, le paradis perdu de nos premiers parents ou celui de Thunder-ten-tronckh, ni surtout les grands parcs immenses de l'Eldorado. Laissons-nous seulement porter par l'image qui revient souvent sous la plume de Voltaire : « Tout ce que nous avons de mieux à faire sur la terre, c'est de la cultiver », écrit-il dans sa *Correspondance* (1759).

Le jardin, c'est à la fois l'utile et l'agréable, les produits indispensables de la terre pour soi et pour les autres (on en porte de plus en plus au marché de Constantinople), mais aussi les fleurs[1], le superflu, la beauté ! Le jardin, surtout, c'est le *travail* et c'est le *repos* — le refuge contre toutes les atrocités du monde, la tentation repoussée des ambitions, des honneurs, des gloires scintillantes, mais aussi et en même temps le lieu des *créations* véritables, celui où la vie continue toujours, où l'on sème et où l'on plante pour les saisons prochaines, pour l'avenir, où l'on *cultive* tout ce que l'on est.

---

1. « Des orangers et des oignons, des tulipes et des carottes », *Œuvres*, éd. Moland, XXXVIII, 356.

■ L'ACTION HUMANITAIRE

Est-ce à dire que Voltaire définit un bonheur égoïste ? Certes non. Voltaire ne s'exile pas au fond de son jardin pour se détourner du monde. Il y cherche sans doute refuge, mais il y puise la force et l'énergie pour se faire le défenseur de l'humanité et contribuer à la marche du progrès social.

Le travail de Voltaire, c'est d'abord de féconder toute la région de Ferney, d'élever le niveau de vie de ces paysans misérables qui ont fait sur lui une telle impression lorsqu'il les a vus pour la première fois[1], mais c'est avant tout son action et ses ouvrages de philosophe, d'artiste, ses campagnes de militant. Voltaire ne cesse d'écrire pour défendre la cause des hommes. L'année qui suit *Candide*, Voltaire trouve son bonheur dans cette lutte : de son jardin de Ferney, il mène une action civilisatrice et travaille pour le progrès des Lumières.

Ainsi, l'homme dans son jardin trouve son épanouissement personnel et cultive un bonheur qui est à la portée de sa main, loin des spéculations métaphysiques. En même temps, il est invité à concevoir ce jardin comme le patrimoine commun qu'il se doit de faire fructifier pour le bien de tous.

---

1. Au point que René Pomeau voit en eux, à juste titre selon nous, les frères, pour le philosophe, de son nègre de Surinam. Le 18 novembre 1758, au moment sans doute où il achève *Candide* et ajoute, après avoir lu Helvétius, l'épisode de l'esclavage, Voltaire visite le village de Ferney et il en revient bouleversé. Depuis sept années, le curé de la paroisse n'a fait aucun mariage. Il ne naît plus d'enfants, les terres restent en friche, les habitants ne mangent qu'un peu de pain noir, que leur disputent les gabelous : « *La moitié périt de misère, et l'autre pourrit dans des cachots.* » On a transformé ces malheureux en « *bêtes inutiles* » ; il faut en faire des « *hommes utiles* ». C'est pourquoi le propriétaire des Délices achètera cette terre désolée car, dit-il, « le cœur est déchiré quand on est témoin de tant de malheurs ». Tel est Voltaire, tel est Candide... « *Je n'achète la terre de Ferney*, dira-t-il encore, *que pour y faire un peu de bien* [le ne... que est exagéré]. *J'ai déjà la hardiesse d'y faire travailler quoique je n'aie pas passé le contrat. Ma compassion l'a emporté sur les formes.* » (René Pomeau, édition critique de *Candide*, p. 73). On sait qu'effectivement Voltaire réussira à élever très nettement le niveau de vie de toute la population de Ferney, qui fera plus que doubler entre 1760 et 1778. Il n'améliorera pas seulement les cultures, il installera de petites industries : fabriques de tuiles, de bas de soie, de montres.

▅▅▅▅ LES FRUITS DU JARDIN

Voici en tout cas les fruits du jardin de Voltaire[1] :

1762- Défense, après enquête sérieuse, de la famille
1765 protestante Calas dont le père, accusé d'avoir tué
son fils, a été exécuté à Toulouse. (Le pasteur
Rochette et trois autres huguenots y ont été
condamnés à mort, quelques semaines avant, pour
seul crime d'hérésie.) La réhabilitation de Calas
sera obtenue le 9 mars 1765.

1763 *Traité sur la tolérance.*

1764 (Voltaire a soixante-dix ans.)
Intervention en faveur des huguenots condamnés
aux galères.
*Dictionnaire philosophique. Jeannot et Colin. Le
Blanc et le Noir. Commentaire sur l'œuvre de
Corneille* (pour doter Mlle Corneille qu'il a adoptée).

1762- Défense de la famille protestante Sirven dont le
1771 père et la mère, accusés d'avoir tué leur fille, sont
condamnés à la pendaison. Ils se réfugient à Ferney.
Voltaire n'obtiendra leur réhabilitation que le 27
novembre 1771.

1765 *La Philosophie de l'histoire.* Intervention de Voltaire
dans les troubles de Genève.

1766 *Relation de la mort du chevalier de La Barre.
Commentaires sur le livre de Beccaria* (Traité des
délits et des peines).

1767 *Les Questions de Zapata. L'Ingénu,* un chef-
d'œuvre. Campagne pour la famille du laboureur
Martin, considéré comme coupable d'assassinat et
exécuté sur la roue. Son innocence est prouvée
peu après. Voltaire fait réhabiliter la famille.

1768 *La Guerre civile de Genève. Précis du siècle de
Louis XV. L'Homme aux quarante écus. La Princesse
de Babylone.*

---

1. En dehors de ceux de Ferney.

1769 *Histoire du Parlement de Paris. Les Guèbres ou la Tolérance*, tragédie.

1770 Campagne pour les époux Montbailli. Le mari a le poing coupé et il est exécuté sur la roue. Voltaire fait reconnaître l'innocence du mari et de la femme. Celle-ci échappe à la potence.
Campagne pour l'affranchissement des serfs du Mont-Jura.

1771 *Questions sur l'Encyclopédie.*

1772 *Épître à Horace. Les Lois de Minos*, tragédie contre le fanatisme. *Les Systèmes. Les Cabales*, satires.

1774 (Voltaire a quatre-vingts ans.)
Histoire de Jenni, Les Filles de Minée, Le Taureau blanc, contes.

1776 *La Bible enfin expliquée.*

1777 *Commentaires sur L'Esprit des lois.*

Et Voltaire sait bien que le jardin continuera à produire ses fruits après la mort du jardinier :

1778 Mort de Voltaire.

1780 Suppression de la « question préparatoire » (tortures pour arracher l'aveu).

1787 Promulgation de l'Édit de tolérance.

1789 Suppression de la « question préalable » (tortures pour arracher le nom des complices).
Déclaration des droits de l'homme.

6 **Autres thèmes**

▰▰▰ LE FANATISME

Le moins difficile à extirper de tous les grands maux sociaux, ce devrait être le fanatisme.

L'Inquisition

Voltaire s'est documenté sérieusement sur l'Inquisition. Fondée avant tout pour extirper l'hérésie des Albigeois[1], la juridiction spéciale confiée aux Dominicains par le pape Grégoire IX en 1233 avait été amenée peu à peu à sévir contre tous les « infidèles » : musulmans, protestants et renégats de tout bord, philosophes orgueilleux toujours suspects de déviationnisme, sorciers, et, bien entendu, juifs (sauf lorsque ceux-ci avaient de très hautes protections de par leur rôle de banquiers comme le Don Issachar de *Candide*, chap. 8).

Voltaire, dans le *Traité sur la tolérance*, comme Montesquieu dans *L'Esprit des lois*, argumente avec force contre tous ceux qui s'estiment assez sûrs de leurs opinions improuvables pour brûler à petit feu ceux qui n'aperçoivent pas les mêmes évidences. Dans *Candide*, conformément à sa méthode, il n'énonce même pas « les délits d'opinion » reprochés aux condamnés. Pour souligner l'absurde encore davantage, il se contente d'indiquer, sans aucune explication, les actes extrêmement légers pour lesquels les coupables vont recevoir leur châtiment. Un habitant de Biscaye est accusé d'avoir « épousé sa commère », c'est-à-dire la personne qui a été marraine de l'enfant dont il est lui-même parrain. Deux Portugais, « mangeant un poulet, en ont arraché le lard ». Pour Candide et Pangloss, c'est encore pis : Pangloss « a parlé », et Candide a « écouté avec un air d'approbation », c'est tout (chap. 6).

---

1. Les Albigeois croyaient que Dieu, parfaitement bon, n'avait pas créé le monde mauvais. Le monde était l'œuvre d'un principe mauvais appelé d'ordinaire Satan, et parfois Satanaël.

La charge paraît grosse, mais Voltaire est sûr que ses lecteurs le suivront. Une *Relation de l'Inquisition de Goa*, de Dellon, une *Histoire de l'Inquisition*, de Marsollier, avaient paru en France et en Allemagne à la fin du XVIIᵉ siècle et la première, en tout cas, avait été très souvent réimprimée. On savait donc que les règlements de l'Inquisition portaient effectivement : il faut *dénoncer* celui « qui retire de la chair des animaux dont il se nourrit le suif ou la graisse » car c'est une preuve qu'il observe les commandements de la loi mosaïque, qu'il « judaïse ». On savait que l'Église interdisait, sauf dérogation spéciale, le mariage entre le parrain et la marraine d'un même enfant (l'intrigue de *L'Ingénu* reposera en grande partie sur cette prescription). On savait enfin que la procédure judiciaire des inquisiteurs était absolument secrète, que les dénonciations étaient permises et recommandées, que des « familiers » avaient mission de détecter les suspects, etc. : « Pour encourir le soupçon d'hérésie, dit Marsollier, il ne faut qu'avancer quelque proposition qui scandalise ceux qui l'entendent, ou même ne pas déclarer ceux qui en avancent de pareilles. » Le lecteur de *Candide* comprend donc facilement ici les quatre motifs de condamnation, y compris ceux de Pangloss et de Candide. Pangloss a avancé une proposition scandaleuse, entraînant objectivement, selon les inquisiteurs, la négation du péché originel ; Candide ne l'a pas dénoncé ; ils sont coupables (chap. 6)[1].

L'auto-da-fé

De même, pour le récit de l' *Auto-da-fé* (Acte de foi, cérémonie solennelle de jugement et de réparation destinée à affirmer la foi), Voltaire suit d'extrêmement près le texte et surtout les planches du livre de Dellon[2] : « Ceux qui sont tenus pour convaincus [c'est-à-dire qui n'acceptent pas de faire leur confession, leur « autocritique »] portent une (...) espèce de scapulaire, appelé samarra, où le portrait du patient est représenté au naturel, devant et derrière, posé sur des tisons embrasés avec des flammes qui s'élèvent et des démons tout à l'entour (...) Mais ceux qui s'accusent et ne sont pas relaps portent sur leurs samarras des flammes renversées la pointe en bas. » Dellon parle aussi des « bonnets

---

1. Cf. p. 23-24. 2. Cf. ci-dessus.

de carton » des condamnés, « élevés en pointe à la façon d'un pain de sucre, tout couverts de diables et de flammes de feu »... Même « les rafraîchissements » qui sont servis à Cunégonde et aux dames « entre la messe et l'exécution » (chap. 8) trouvent leur origine dans une autre notation du même témoignage : la cérémonie étant fort longue, « il n'y eut personne qui ne mangeât ce jour-là dans l'église », rapporte Dellon.

Appuyé sur de tels documents, connus, je le répète, d'une bonne partie de ses lecteurs, Voltaire peut se permettre de corser la présentation générale, et tout de même d'inventer quelque peu — toujours en vue de souligner l'absurde :

> Après le tremblement de terre qui avait détruit les trois quarts de Lisbonne, les sages du pays n'avaient pas trouvé un moyen plus efficace pour prévenir une ruine totale que de donner au peuple un bel auto-da-fé ; il était décidé par l'université de Coïmbre que le spectacle de quelques personnes brûlées à petit feu, en grande cérémonie, est un secret infaillible pour empêcher la terre de trembler (...) Le même jour, la terre trembla de nouveau avec un fracas épouvantable (chap. 6).

En réalité, la terre trembla bien une seconde fois, en décembre 1755, mais sans qu'il y ait eu autodafé. On en célébra un seulement le 20 juin 1756, puis de nouveau en 1757 et 1758, et certains fidèles superstitieux purent croire sans doute que de telles cérémonies leur vaudraient la clémence divine, mais les « sages du pays », en particulier les théologiens de la très célèbre université de Coïmbre, n'affirmèrent pas que c'était là un moyen très efficace pour prévenir les secousses sismiques... Enfin et surtout, il n'y eut pas ces années-là au Portugal, semble-t-il, d'exécution de condamné. La dernière sentence de mort prononcée par l'Inquisition le fut en 1783, en Espagne[1].

De la fiction à la réalité

Voltaire peut encore ici, dans tout le chapitre, conserver volontairement un ton dénonciateur certes, mais d'une très franche gaieté. Il ne se doute pas que sept ans plus tard, le

---

1. L'Inquisition y fut supprimée en 1808 par Napoléon Ier installé en Espagne, rétablie aussitôt après sa chute en 1814, supprimée définitivement en 1834.

4 juin 1766, en France même, à Abbeville, un tribunal qui n'était pas d'Inquisition allait condamner le chevalier de La Barre[1] et son compagnon Gaillard d'Étallonde[2] à faire amende honorable de leurs impiétés devant le porche de la cathédrale Saint-Wolfram, pour, ensuite, avoir la langue coupée, être décapités et leurs corps jetés au feu[3]. Voltaire avait cru dans *Candide* écrire une somme de tous les maux de son temps. La réalité dépassa la fiction. Le chevalier de La Barre ayant déclaré qu'il se défendrait jusqu'au bout si on essayait de lui couper la langue, on y renonça en fin de compte — pour ne pas troubler le spectacle ! Il fut décapité devant une grande foule par le même bourreau qui venait de décapiter à Paris, tellement maladroitement qu'il lui fallut s'y reprendre à plusieurs fois, l'innocent Lally-Tollendal.

▆▆▆▆ LA GUERRE

Voltaire va parvenir aussi à rire de la guerre. Mais, cette fois, ce n'est plus le rire de la gaieté, c'est le rire « grinçant » évoqué par Flaubert. Sur les cent années du XVIIIe siècle, l'Europe en a connu quatre-vingts de conflits — non pas même pour la plupart de ces conflits idéologiques, sociaux ou nationaux pour lesquels les hommes peuvent estimer qu'il vaut la peine de tuer et de mourir, défendant une liberté ou des bases de justice politique et sociale élémentaire sans lesquelles la vie leur paraît indigne, mais des conflits d'intérêts sordides quand ce n'était pas de simple vanité dynastique, menés par des armées en grande partie mercenaires et auxquels les peuples n'étaient guère intéressés que pour souffrir. Pendant la décade qui précède *Candide*, les alliances changent complètement : en 1740, la France combattait avec la Prusse contre l'Autriche ; en 1756, elle combat avec l'Autriche contre la Prusse. La Suède, l'Allemagne, la Bohême sont à feu et à sang ; partout des combats, sur mer, aux Indes, aux Amériques.

---

1. Il avait vingt ans.
2. Celui-ci par contumace, heureusement ; il avait réussi à s'enfuir. Voltaire obtiendra que Frédéric II l'accueille en Prusse.
3. L'arrêt intégral, avec les attendus, a été publié par le *Courrier rationaliste* (1963, p. 179).

Voltaire, qui a des correspondants presque dans chaque pays, n'ignore rien de ces horreurs. La duchesse de Saxe-Gotha lui écrit le 7 juin 1757 : « Les ruisseaux de sang humain qui inondent les champs de bataille et les gémissements de tant d'expirants me font horreur. La ville de Prague (...) se rendra à coup sûr, si elle n'est pas consumée par les flammes. »

Mais la duchesse de Saxe-Gotha ne demeure pas moins fervente leibnizienne. Voltaire en est stupéfait. Toutes ses lettres de cette époque retentissent au contraire de sa double indignation, contre les massacres, et contre la « philosophie » qui prétend les expliquer, les faire accepter :

> On ne peut pas dire encore : tout est bien ; mais cela ne va pas mal, et avec le temps l'optimisme sera démontré.

> Tout est bien, tout est mieux que jamais, voilà deux ou trois cent mille animaux à deux pieds qui vont s'égorger pour cinq sous par jour[1].

La rage de Voltaire contre « cette boucherie héroïque » (chap. 3) est à la source même de *Candide*. Les hommes osent faire de la littérature[2] et de la musique avec des cadavres qu'ils accumulent ; ils chantent avant et après les combats, à la gloire des tueurs (chap. 3).

Voltaire souligne la complicité de l'Église dans ces massacres.

« Les deux rois faisaient chanter des *Te deum*, chacun dans son camp. » Voltaire dénoncera à plusieurs reprises cette absurdité plus scandaleuse encore que toutes les autres, dont un homme comme Bossuet ne semblait même pas prendre conscience :

> Le merveilleux de cette entreprise infernale, c'est que chaque chef des meurtriers fait bénir ses drapeaux et invoque Dieu solennellement avant d'aller exterminer son prochain. Si un chef n'a eu que le bonheur de faire égorger deux ou trois mille hommes, il n'en remercie point Dieu ; mais lorsqu'il y en a eu environ dix mille d'exterminés par le feu et par le fer, et que, pour comble

---

1. Lettres de 1756, 1757, 1758, *passim*.
2. Voltaire lui-même en a fait, et de la plus mauvaise, avec son poème de la bataille de Fontenoy. Ici encore, *Candide* est écrit avec ses souvenirs.

de grâce, quelque ville a été détruite de fond en comble, alors on chante à quatre parties une chanson assez longue, composée dans une langue inconnue à tous ceux qui ont combattu, et de plus toute farcie de barbarismes[1].

Dans *Candide*, comme toujours, le texte est plus bref, plus réaliste. Énoncer le scandale est suffisant. La mention des *Te deum* tient en une ligne. Voltaire se contente de dépeindre ce qui est, sans craindre les clichés ni les accusations de mauvais goût :

> Ici des vieillards criblés de coups regardaient mourir leurs femmes égorgées, qui tenaient leurs enfants à leurs mamelles sanglantes ; là des filles éventrées après avoir assouvi les besoins naturels de quelques héros rendaient les derniers soupirs ; d'autres, à demi brûlées, criaient qu'on achevât de leur donner la mort. Des cervelles étaient répandues sur la terre à côté de bras et de jambes coupés (chap. 3).

Il est difficile d'imaginer un texte plus sarcastique et qui pourtant respire et inspire davantage la pitié, la colère. Seul Victor Hugo dans notre littérature, usant de moyens très différents, dénoncera la guerre avec une telle force, tout en sachant prôner la résistance à toute oppression : « Déshonorons la guerre. Non, la gloire sanglante n'existe pas. Non, ce n'est pas bon et ce n'est pas utile de faire des cadavres, (...) d'aboutir à cette épouvantable exposition internationale qu'on appelle un champ de bataille[2]. » (Ces mots ont été prononcés par lui aux cérémonies pour le centenaire de la mort de Voltaire en 1878.)

■■■■■ L'ESCLAVAGE

Au XVIIIe siècle se développe un mouvement de protestation contre l'esclavage, considéré comme atteinte aux droits de l'homme (cf. la célèbre page de *L'Esprit des Lois* de Montesquieu, livre XV, chap. 5 et les articles Esclavage et Esclaves de l'*Encyclopédie*). L'esclavage était jusqu'alors généralement accepté par l'opinion. Il existait un « Code

---

1. *Dictionnaire philosophique*, article *Guerre*. Cette « langue inconnue » est bien sûr le latin.
2. Voir l'édition des *Châtiments* et de *L'Année terrible*, particulièrement pp. 193, 205, 206, 207 (Bordas).

noir », établi en 1685, qui définissait le statut légal des esclaves et prétendait les protéger, comme « biens meubles ».

Au chapitre 19, Candide et Cacambo viennent de quitter le fabuleux pays d'Eldorado et arrivent à Surinam. Ils rencontrent un nègre « étendu par terre, n'ayant plus que la moitié de son habit, c'est-à-dire d'un caleçon de toile bleue ». Le malheureux a un bras et une jambe coupés : il a été mutilé en toute connaissance de cause par les lois de l'esclavage :

> Quand nous travaillons aux sucreries et que la meule nous attrape le doigt, on nous coupe la main ; quand nous voulons nous enfuir, on nous coupe la jambe : je me suis trouvé dans les deux cas. C'est à ce prix que vous mangez du sucre en Europe (...).

Voltaire dénonce l'insouciance des Européens et la cruauté des esclavagistes. Il s'inscrit contre la monstruosité d'un usage qui finit par faire accepter ce qui n'est pas naturel :

> Est-ce M. Vanderdendur, dit Candide, qui t'a traité ainsi ?
> — Oui, Monsieur, dit le nègre, c'est l'usage.

Enfin, il met l'accent sur l'hypocrisie des chrétiens qui affirment que tous les hommes sont frères et sont en opposition complète avec l'enseignement du Christ. Il s'en prend aux prêtres qui convertissent les noirs et prétendent qu'ils sont les égaux des blancs. Voltaire met au jour les incohérences et les anomalies des hommes.

Avec l'épisode du nègre de Surinam, le roman vire de bord. Candide, désormais, appelle les choses par le nom qu'elles méritent. L'esclavage est une « abomination », dit-il, et l'optimisme une véritable maladie de maniaque, contagieuse, nuisible, « la rage de soutenir que tout est bien quand on est mal » (chap. 19)... Pour le héros du conte tout au moins, une possibilité de guérison apparaît donc, lointaine, s'il continue dans la voie lucide du réalisme. Cependant, il lui reste beaucoup à comprendre ; il n'a pas pris conscience encore des misères inférieures de l'homme. Le roman d'apprentissage se poursuit.

La vanité, le chauvinisme, le jeu

Candide a quitté l'Eldorado pour retrouver Cunégonde, mais aussi par vanité sociale. « Si nous restons ici, nous n'y serons que comme les autres ; au lieu que si nous retournons dans notre monde seulement avec douze moutons chargés de cailloux d'Eldorado, nous serons plus riches que tous les rois ensemble », dit-il (chap. 18). Cacambo n'est pas plus sage, ce discours *lui plaît*. Lui aussi, il brûle de briller, *de se faire valoir* et de *faire parade* chez les siens... Encore les deux hommes sont-ils bien loin d'être les plus fous de nos semblables. Candide a des faiblesses, des curiosités surtout, mais pas de vices, pas de ces passions déchaînées qui font sombrer le vaisseau du bonheur au lieu de simplement en enfler les voiles. Voltaire dénonce tout particulièrement, dans la seconde partie du conte, *le chauvinisme*, qui même chez le peuple le plus libéral peut conduire à l'assassinat (exécution de l'amiral Byng, chap. 23), et *le jeu*, dont la triste monotonie est si bien décrite dans le salon de Mme de Parolignac (chap. 22).

Mais deux maladies morales paraissent à Voltaire bien pires encore, quoique ne figurant pas non plus au nombre des péchés capitaux. Très différentes, elles apparaissent même d'abord opposées bien que la cause en soit la même ; ce sont l'*ennui* et l'*ambition*, l'*ennui* d'abord.

● **L'ennui**

Pour l'auteur de *Candide* comme pour celui des *Fleurs du mal*[1] :

> Notre ennemi le plus grand, c'est l'ennui[2].

Voltaire ne condamne pas le divertissement par système comme Pascal, mais il sait et il montre combien peut être vide, sinistre, l'existence des mondains, des oisifs, des faibles, de tous ceux qui n'ont pas le courage d'être vraiment eux-mêmes, insectes sans lumière intérieure qui se précipitent

---

1. *Au lecteur*, vers 29-40.
2. *Œuvres*, éd. Moland, X, 347.

au-devant de n'importe quelle lampe allumée pour tenter de jouir — pour brûler, pour périr.

Même le seigneur Pococuranté, fin, intelligent, disert, ayant usé tous les plaisirs, est devenu incapable de trouver quelque piment nouveau à l'existence. L'homme est-il donc né, comme le prétend Martin, « pour vivre dans les convulsions de l'inquiétude, ou dans la léthargie de l'ennui » (chap. 30) ?... Un personnage a souffert plus que tous les autres dans *Candide*. On ne l'appelle plus — sans délicatesse, car elle doit en souffrir — que « la vieille ». Elle se souvient de toutes les misères, de toutes les humiliations qu'elle a subies, elle les porte dans sa chair et dans son âme. Elle en rit chaque fois qu'elle peut, comme elle peut, rappelant toujours la fesse qui lui manque, mais Voltaire lui fait prononcer aussi, à plusieurs reprises, les phrases les plus tristes du roman : « J'ai vieilli dans la misère et dans l'opprobre »... « Je voulus cent fois me tuer » (chap. 12). C'est elle pourtant, à la fin du conte, alors que Candide et ses compagnons paraissent enfin à l'abri de tous les malheurs, en sécurité dans leur petite ferme de Propontide, c'est elle qui « ose » leur dire un jour, tellement l'ennui est excessif :

> Je voudrais savoir lequel est le pire, ou d'être violée cent fois par des pirates nègres, d'avoir une fesse coupée, de passer par les baguettes chez les Bulgares, d'être fouetté et pendu dans un auto-da-fé, d'être disséqué, de ramer en galère, d'éprouver enfin toutes les misères par lesquelles nous avons tous passé, ou bien de rester ici à ne rien faire ?
> — C'est une grande question, dit Candide (chap. 30).

● **L'ambition**

L'ambition est incontestablement préférable ; elle porte toujours en elle une certaine grandeur. Elle peut même être utile. Mais Voltaire, en 1758, sait ce qu'elle lui a fait faire, à quelles compromissions il s'est plié pour approcher les rois et les grands, lui qui aurait dû tellement les craindre, quelles avanies il a essuyées, à Paris, à Berlin, à Francfort, à Versailles... On peut trouver que Voltaire est injuste lorsqu'il fait dire au bon vieillard turc qui prend le frais sous son berceau d'orangers : « Je présume qu'en général ceux qui se mêlent des affaires publiques périssent quelquefois misérablement, et qu'ils le méritent » (chap. 30). La présence et la place curieuses, dans la phrase, de « en général » et de « quelquefois » prouvent d'ailleurs que Voltaire a hésité. Sa condamnation, trop sommaire, ne distingue pas les politiciens des hommes politiques intègres, soucieux réellement du bien de tous, dont il nous a montré un modèle en la personne de Vauban par exemple, courageux, compétent, humain, n'ayant cessé de prouver par sa conduite, dit-il, qu'il peut y avoir, sous un gouvernement *absolu*, des *citoyens*[1].

Il est probable que Voltaire, ex-chambellan de Frédéric, ici, pense avant tout à lui-même, à ses ambitions intéressées d'autrefois, et qu'il se fortifie dans la volonté de vivre désormais loin des cours, dans le travail qui « éloigne de nous trois grands maux : l'ennui [toujours premier nommé], le vice, et le besoin » (chap. 30). Voltaire, qui par tempérament n'est pas du tout un destructeur, qui ne s'est jamais contenté de dire non, commence à élaborer pour nous et pour lui, à quarante lignes de la fin du conte, une morale précise. C'est elle qu'il nous faut maintenant examiner.

████████ L'AMOUR DE LA VIE

« La question du bien et du mal, répétera Voltaire dans l'article *Tout est bien* du *Dictionnaire philosophique*, demeure un chaos indébrouillable pour ceux qui cherchent de bonne foi ; c'est un jeu d'esprit pour ceux qui disputent : ils sont des forçats qui jouent avec leurs chaînes. Pour le peuple non pensant, il ressemble assez à des poissons qu'on a transportés d'une rivière dans un réservoir ; ils ne se doutent pas qu'ils sont là pour être mangés pendant le carême : aussi ne savons-nous rien du tout par nous-mêmes des causes de notre destinée. »

Le peuple pensant, lui (c'est-à-dire tous ceux qui réfléchissent, Cacambo et la vieille tout autant que Voltaire et Pococuranté), sait que chaque homme est destiné à mourir. Mais cela ne désespère, au fond, personne. La vieille a voulu cent fois se tuer et ne comprend pas pourquoi elle ne l'a pas fait, elle trouve « cette faiblesse ridicule », mais elle *aimait encore la vie* en dépit de tout, dit-elle, elle l'aime

---

1. *Le Siècle de Louis XIV*, éd. Garnier-Flammarion, II, 288.

toujours en fait, et elle constate que les plus misérables éprouvent sans doute ce même sentiment, puisque très peu se suicident :

> J'ai vu dans les pays que le sort m'a fait parcourir, et dans les cabarets où j'ai servi, un nombre prodigieux de personnes qui avaient leur existence en exécration ; mais je n'en ai vu que douze qui aient mis volontairement fin à leur misère : trois nègres, quatre Anglais, quatre Genevois et un professeur allemand nommé Robeck[1] (chap. 12).

Voltaire constate, de même, que le nombre des suicides « par raison » est extrêmement faible, la plupart des gens qui se tuent pouvant être considérés comme des malades. Dès lors, et le cas de douleurs insupportables et incurables étant très précisément mis à part, puisque nous tenons à la vie, essayons de la vivre le mieux possible — et naturellement sans métaphysique.

---

1. Johan Robeck, un jésuite qui avait rédigé une véritable apologie du suicide... et s'était suicidé pour de bon en 1736.

7 Les personnages

Les commentateurs ont dit et redit que les personnages de *Candide* n'étaient que des marionnettes, Voltaire tirant toutes les ficelles. Cela ne paraît pas exact. L'auteur est derrière ses personnages, certes, mais ceux-ci apparaissent bien vivants, en chair et en os : et là encore, vérité physique et vérité psychologique sont toujours suffisament respectées pour nous obliger à les accepter telles quelles, sans discussion possible.

■■■■■ CANDIDE

Les deux aspects de la candeur

Candide est l'incarnation même de la candeur. Le nom que Voltaire lui donne, comme sa physionomie, « annonce son âme » (chap. 1) et dit presque tout de lui. La candeur implique, en effet, à la fois la notion de crédulité et de pureté. D'un côté, la naïveté du personnage en fait la proie idéale du système de Pangloss et de toutes les illusions. Mais l'autre face est positive (*candidus* signifie « blanc » en latin) : elle suppose la pureté, la droiture du jugement, le bon sens, l'absence de préjugés qui lui permettront de s'étonner, de raisonner avec pertinence, de remettre en question les propos de son précepteur.

La candeur comporte aussi une bonté naturelle à toute épreuve : compassion vis-à-vis de Pangloss qu'il secourt et fait soigner (chap. 4), pleurs sur le nègre de Surinam (chap. 19) et sur la mort de Jacques (chap. 5). Cette sensibilité se porte même sur le mouton qu'il retrouve en mer : il éprouve « plus de joie de retrouver ce mouton qu'il n'avait été affligé d'en perdre cent tous chargés de gros diamants » (chap. 20). On notera également sa politesse : il fait la révérence aux deux recruteurs bulgares (chap. 9), se prosterne devant Jacques et le remercie de sa générosité (chap. 3), s'adresse à tous avec courtoisie, appelant le derviche « mon révérend père », le sénateur Pococurenté « Votre excellence », etc.

Certes notre héros tue Don Issachar et l'Inquisiteur (chap. 4) ainsi que le frère de Cunégonde devenu jésuite (chap. 15), mais le lecteur lui pardonne aisément ces meurtres dus à la légitime défense et à la passion amoureuse. Sa jeunesse enthousiaste les explique ; la rapidité du récit et la parodie des romans d'aventure, leur enlèvent toute importance. Ils contribuent aussi à donner au personnage une épaisseur psychologique qui en fait un homme comme les autres, capable de violence malgré sa douceur naturelle, capable d'action malgré sa passivité originelle. Les morts n'ont d'ailleurs rien pour nous plaire, et l'un d'entre eux ressuscite même, ce qui empêche Candide d'être l'assassin de son futur beau-père. Rien ne pervertira donc le jeune homme, et nous ne nous étonnons pas que Cacambo lui soit fidèle, que Martin finisse par le suivre autrement que par intérêt, que Cunégonde lui revienne toujours. Il suscite la sympathie, parce qu'il donne la sienne...

La perte des illusions

Mais si Candide conserve toujours ces qualités rares, il évolue cependant du point de vue de la crédulité et de la pureté du jugement : une perpétuelle oscillation entre ces deux aspects de la candeur fonde l'essentiel du conte, qui se construit au fur et à mesure qu'au contact des épreuves le héros abandonne sa naïveté pour conquérir une personnalité et une philosophie propres. C'est pourquoi *Candide* a été si souvent rapproché des nombreux romans d'apprentissage de notre littérature. Le jeune garçon inconsistant du chapitre 1 devient à la fin le guide d'une petite communauté composée de ses amis, instituant un nouvel art de vivre : « cultiver notre jardin ». Il s'éloigne petit à petit, malgré quelques rechutes, de la tyrannie du système panglossien.

Au début du conte, en effet, Candide est inexistant, totalement passif : il écoute, il croit innocemment, il trouve Cunégonde belle sans jamais oser le lui dire. La structure verbale reflète son comportement : la forme passive parcourt les premiers chapitres, dans le premier titre par exemple : « Comment Candide fut élevé dans un beau château, et comment il fut chassé d'icelui ». Malmené par les soldats bulgares qui le dressent au combat (« On le fait tourner à droite, à gauche, hausser la baguette, remettre la baguette, coucher en joue, tirer, doubler le pas, et on lui donne trente coups de bâton », chap. 2), il subit ensuite la guerre sans se révolter. Intellectuellement, il est entièrement soumis aux leçons de Pangloss, qu'il récite sans les examiner : « Tout est enchaîné nécessairement et arrangé pour le mieux », dit-il en récapitulant ses mésaventures (chap. 3).

Le premier choc survient au chapitre 4, à la nouvelle de la prétendue mort de Cunégonde : « Ah ! meilleur des mondes, où êtes-vous ? » Candide commence à poser des questions. Il demande à Pangloss à propos de l'origine de la vérole : « N'est-ce pas le diable qui en fut la souche ? » Au chapitre 6, après le tremblement de terre et la mort de Pangloss, le doute s'insinue : « Si c'est ici le meilleur des mondes possibles, que sont donc les autres ? » Mais lorsqu'il retrouve au Paraguay le frère de Cunégonde (chap. 14), le héros opère un brusque retour en arrière : « Ô Pangloss ! Pangloss ! que vous seriez aise si vous n'aviez pas été pendu ! » L'Eldorado est cependant une source de méditation où Candide forme un jugement personnel : « C'est probablement le pays où tout va bien ; car il faut absolument qu'il y en ait de cette espèce. Et, quoi qu'en dît maître Pangloss, je me suis souvent aperçu que tout allait mal en Vestphalie » (chap. 17).

Puis ses illusions sont de nouveau atteintes avec la rencontre du nègre de Surinam (chap. 19). La critique de l'optimisme se fait claire : « Ô Pangloss ! s'écria Candide, tu n'avais pas deviné cette abomination ; c'en est fait, il faudra qu'à la fin je renonce à ton optimisme. » L'optimisme, explique-t-il à Cacambo, « c'est la rage de soutenir que tout est bien quand on est mal ».

Un nouveau mouvement s'amorce alors : le jeune homme retourne en Europe, mais de fuyard il est devenu conquérant : nanti de richesses, il espère retrouver Cunégonde. Le maître Pangloss est mis en doute, mais demeure une référence. Candide veut comprendre l'origine du mal par la réflexion et la recherche expérimentale : il se met en quête de l'homme le plus malheureux pour en faire son compagnon. Devant les récits des candidats, tous plus misérables les uns que les autres, Candide renforce encore son sens critique :

« Ce Pangloss, disait-il, serait bien embarrassé à démontrer son système. Je voudrais qu'il fût ici. Certainement, si tout va bien, c'est dans l'Eldorado, et non pas dans le reste de la terre » (chap. 19).

Sur le bateau du retour, réconforté par sa situation relativement agréable, il penche encore une fois pour l'optimisme et en discute avec son nouvel ami, le pessimiste Martin (chap. 20). Mais les spectacles offerts sur le vieux continent, où se déchaînent les passions humaines (hypocrisie, orgueil, ambition...), découvrent définitivement à ses yeux la présence du mal. Il rencontre ensuite le sénateur vénitien Pococuranté que l'on dit le plus heureux des hommes (chap. 25). Or cet esthète riche et cultivé s'ennuie, et remet en cause les valeurs reconnues et respectées. Le souper des princes déchus révèle, de plus, la dérision du pouvoir suprême (chap. 26).

Enfin Candide retrouve Pangloss, puis Cunégonde, enlaidie et acariâtre. Ses derniers rêves s'évanouissent, car l'amour aurait pu justifier l'optimisme. Il l'épouse cependant par honnêteté et s'installe dans une métairie. Les dernières rencontres, celles du vieillard turc et du derviche, seront déterminantes : le bonheur est tout proche, il suffit de s'écarter des vaines spéculations. Candide a terminé son éducation, il comprend les bienfaits d'une activité raisonnable et mesurée. Il coupe désormais la parole à Pangloss, en qui il ne peut plus croire.

En fait, l'évolution du personnage rappelle celle de Voltaire, qui abandonna son optimisme initial au contact des épreuves[1]. C'est pourquoi on ne saurait considérer son héros comme un pantin. Certes, il y ressemble dans les premiers chapitres : mais de nombreux hommes ne sont-ils pas possédés ainsi par des illusions, avant de s'en défaire ? L'expérience de Candide est ainsi profondément humaine.

▇▇▇▇ PANGLOSS

Ici encore, le nom caractérise le personnage : il est « toute langue », du grec *pan* (tout) et *glossa* (langue). Pour Voltaire, il incarne la philosophie optimiste de Leibniz, en vertu de

---

1. Cf. pp. 9-11.

laquelle l'univers, régi par une bienveillance générale, est construit selon une harmonie préétablie. Dans cette perspective, tout malheur est relatif et pris dans une chaîne d'effets et de causes qui le transforment en bien.

Le précepteur ne cesse de réciter mécaniquement et en abondance cette théorie, malgré les déboires qui l'affligent ou s'abattent autour de lui. Ainsi, dès le chapitre 4, après l'attaque de vérole qui l'a privé d'un œil et d'une oreille, il persiste à raisonner : « Les malheurs particuliers font le bien général, de sorte que plus il y a de malheurs particuliers, et plus tout est bien. » Or à peine prononce-t-il ces paroles que le vaisseau où ils se trouvent subit « la plus horrible tempête » et fait naufrage. Quelques lignes plus loin, « trente mille habitants de tout âge et de tout sexe sont écrasés sous des ruines » à la suite du tremblement de terre de Lisbonne, sans que rien ne justifie ces désastres. Le récit, dans sa totalité, vise ainsi à discréditer la philosophie optimiste en apportant constamment le démenti cruel des faits aux aphorismes de Pangloss[1].

Des raisonnements absurdes

Non seulement ce discoureur impénitent raisonne à tout propos, mais de plus il raisonne mal. Ses propos sont émaillés d'articulateurs logiques (« il est démontré », « car », « si », « pour », « aussi », « par conséquent », etc.), introduisant des liens de finalité et de conséquence. Mais la rigueur du raisonnement n'est qu'apparente et repose sur des figures formelles : il ne peut s'en dégager aucune vérité sérieuse. On relève en effet dans ses paroles des sophismes a priori, c'est-à-dire non prouvés par l'expérience (« tout est bien »), et des raisonnements incorrects. Par exemple, il affirme au chapitre 1 : « Les choses ne peuvent être autrement : car, tout étant fait pour une fin, tout est nécessairement pour la meilleure fin. » Cette démonstration devient, à la suite du tremblement de terre : « Tout ceci est ce qu'il y a de mieux. Car, s'il y a un volcan à Lisbonne, il ne pouvait être ailleurs. Car il est impossible que les choses ne soient pas où elles sont » (chap. 5). Autre figure fautive, le renversement de cause à effet :

---

1. Cf. pp. 21-22.

« Remarquez bien que les nez ont été faits pour porter des lunettes, aussi avons-nous des lunettes » (chap. 1). Pangloss s'acharne à instituer des enchaînements entre les événements, quitte à énoncer les liens de causalité les plus saugrenus, prouvant ainsi que la vérole « était une chose indispensable dans le meilleur des mondes, un ingrédient nécessaire : car, si Colomb n'avait pas attrapé dans une île de l'Amérique cette maladie qui empoisonne la source de la génération, (...) nous n'aurions ni le chocolat ni la cochenille » (chap. 4).

Voltaire trouve cette philosophie incohérente et scandaleuse puisqu'elle explique et accepte l'horreur. Il n'a pas poussé la caricature aussi loin que le lecteur pourrait le croire : ce n'est pas lui qui a inventé les plus ridicules des arguments finalistes. Bernardin de Saint-Pierre affirmait ainsi dans ses *Études de la nature* parues en 1784, bien après *Candide* : « Si la vache a quatre mamelles, quoiqu'elle ne porte qu'un veau et bien rarement deux, (c'est) parce que ces deux mamelles super-flues étaient destinées à être les nourrices du genre humain. »

Cette préférence obsessionnelle pour le verbe empêche Pangloss de voir la vérité, mais aussi d'agir : atteint par la vérole, il discourt sur cette maladie dans le chapitre 4, au lieu de se faire soigner comme le lui conseille Candide. Lorsque celui-ci est blessé après le tremblement de terre, et lui dit : « Hélas ! procure-moi un peu de vin et d'huile ; je me meurs », le philosophe se met à disserter sur les causes et les effets des séismes au lieu d'aider son ami. Ce n'est qu'après son évanouissement qu'il finit par lui apporter de l'eau d'une fontaine voisine. Pangloss n'est pas foncièrement méchant, mais Voltaire condamne à travers lui l'attitude des pseudo-intellectuels qui se réfugient dans le langage et prétendent enfermer la réalité dans des systèmes abstraits. Cette démarche est vaine, dangereuse, inefficace. Mieux vaut se taire et agir, comme le lui conseillent, à la fin du conte, le derviche et Candide.

Un personnage figé

Mais Pangloss n'évolue jamais : dans les derniers chapitres, il continue à ratiociner, à se perdre en raisonnements, imperturbable malgré tous ses malheurs. Ses dernières paroles touchent au comble de l'absurde, dans la mesure où l'optimisme qu'il affiche repose sur les expériences les plus catastrophiques qui auraient dû l'inciter à remettre en cause son système. Une fois encore, il cherche à établir un lien logique entre des aventures qui ne dépendent que du hasard : « Tous les événements sont enchaînés dans le meilleur des mondes possibles ; car enfin, si vous n'aviez pas été chassé d'un beau château à grands coups de pied dans le derrière pour l'amour de Mlle Cunégonde, si vous n'aviez pas été mis à l'Inquisition, si vous n'aviez pas couru l'Amérique à pied, si vous n'aviez pas donné un bon coup d'épée au baron, si vous n'aviez pas perdu tous vos moutons du bon pays d'Eldorado, vous ne mangeriez pas ici des cédrats confits et des pistaches » (chap. 30). Sa sottise incorrigible met en valeur les changements de Candide qui, par un renversement des rôles, se retrouve dans la métairie le chef spirituel de la petite communauté et parvient à faire taire et peut-être à convertir au travail le philosophe.

Le personnage de Pangloss est sans doute celui qui ressemble le plus à un pantin dans le conte, mais il tire lui-même par moments les ficelles. En effet, lorsque Candide le retrouve et lui demande, au chapitre 28, s'il n'a pas changé d'avis devant tous ses déboires, il répond que non : « Car enfin je suis philosophe : il ne me convient pas de me dédire, Leibniz ne pouvant pas avoir tort. » C'est donc volontairement qu'il s'aveugle et se cantonne à son vain bavardage.

Pour le caractériser davantage, Voltaire lui a donné aussi l'érudition pédante que l'on rencontre souvent chez ce genre d'intellectuels. Jamais à cours de références savantes, il débite d'un seul trait la liste des souverains assassinés depuis Églon, roi biblique, jusqu'à l'empereur Henri IV (chap. 30). Il énonce une théorie sur l'origine des tremblements de terre (chap. 5), cite en latin un passage de la Genèse corroborant l'enseignement final de Candide : « Car, quand l'homme fut mis dans le jardin d'Éden, il y fut mis *ut operaretur eum*, pour qu'il travaillât » (chap. 30). Mais, là encore, son ton doctoral et sentencieux semble ridicule car ce savoir ne sert à rien : Pangloss connaît l'histoire de la vérole qui l'atteint, mais ne peut trouver un moyen de se soigner (chap. 4).

Enfin, dernier aspect de son caractère, qui le rend plus humain mais non pas moins ridicule, notre philosophe est animé d'un appétit charnel incoercible qui le jette dans les bras de Paquette et provoque le début de ses malheurs, ainsi que ceux de Candide (chap. 1).

Ces nuances apportées au personnage ne suffisent cependant pas pour en faire une créature vraiment vivante. Sans doute est-ce pourquoi Voltaire ne lui accorde qu'une présence physique rare : Pangloss, dont les réactions mécaniques pourraient lasser, disparaît au chapitre 6 et ne revient qu'au chapitre 27. Mais son discours sous-tend toutes les aventures de Candide, qui se réfère sans cesse à lui. L'absence du précepteur était d'ailleurs sans doute bénéfique pour la libération intellectuelle du jeune homme.

■■■■ MARTIN

Martin contribue à l'éducation de Candide, après Pangloss, la vieille ou Cacambo. Présenté au chapitre 19 comme l'« homme le plus malheureux de la province », il est choisi par Candide pour l'accompagner en Europe. Ce pauvre savant a « travaillé dix ans pour les libraires d'Amsterdam » ; il fut « volé par sa femme, battu par son fils et abandonné de sa fille ».

Martin est l'antithèse de Pangloss. Il se réclame du manichéisme, doctrine condamnée comme hérétique par l'Église chrétienne, et selon laquelle le monde est régi par deux principes antagonistes, le Bien et le Mal, qui sont en conflit permanent, non seulement dans l'âme humaine, mais dans le cosmos tout entier. A partir de cette doctrine, Martin développe une pensée pessimiste, convaincu que le mal domine sur terre et que ce monde est le partage du diable : « Je vous avoue qu'en jetant la vue sur ce globe, ou plutôt sur ce globule, je pense que Dieu l'a abandonné à quelque être malfaisant » (chap. 20). A la différence de Pangloss, il fonde son opinion sur l'expérience : « Je n'ai guère vu de ville qui ne désirât la ruine de la ville voisine, point de famille qui ne voulût exterminer quelque autre famille. (...) En un mot, j'en ai tant vu, et tant éprouvé, que je suis manichéen » (chap. 20).

Mais cette croyance s'exprime toujours avec modération : il ne témoigne jamais de ce qu'il a vu. « Il y a pourtant du bon, répliquait Candide. — Cela peut être, disait Martin, mais je ne le connais pas » (chap. 20). Sa philosophie fait sans doute écho à l'état d'esprit de Voltaire, qui penchait, dans les années 1757-1759, vers le manichéisme. Il répétait en effet souvent : « C'est ce monde-ci qui est l'enfer » (24 mai 1757).

Martin exerce un puissant ascendant sur le jeune Candide, encore empreint des leçons de Pangloss. Au meilleur des mondes, il oppose le pire des mondes possibles : « Martin ne cessait de lui prouver qu'il y avait peu de vertu et peu de bonheur sur la terre » (chap. 24). Avec calme et sérénité, il insinue le doute en lui. Ainsi, lorsque Candide lui dit qu'il souhaite retrouver sa chère Cunégonde, il lui réplique : « Je souhaite (...) qu'elle fasse un jour votre bonheur ; mais c'est de quoi je doute fort. — Vous êtes bien dur, dit Candide. — C'est que j'ai vécu, dit Martin. »

Il n'incarne cependant pas la solution préconisée par Voltaire, car il noircit trop les hommes : au chapitre 24, il prophétise, à tort, la trahison de Cacambo. Mais à l'extrême fin du conte, il évolue, contrairement à Pangloss. Il a compris les discours du vieillard turc et du derviche, et passe du pessimisme à l'action : « Travaillons sans raisonner, dit Martin ; c'est le seul moyen de rendre la vie supportable » (chap. 30).

■■■■■ CACAMBO

Son nom pittoresque est forgé conformément au système phonologique des noms de lieu péruviens, mais sa finale a une sonorité hispanique. Cacambo est en effet un fils de métis, en partie espagnol, en partie indien. C'est le type même du valet picaresque, tel qu'on le trouve dans les romans espagnols du XVIIe siècle, tel qu'il surgira dans notre littérature dans le personnage de Figaro : valet débrouillard, dévoué à son maître, pour qui le monde n'a aucun secret : « Il avait été enfant de chœur, sacristain, matelot, moine, facteur, soldat, laquais » (chap. 14). Par nature, il est toujours prêt à tenter une nouvelle expérience : « C'est un très grand plaisir de voir et de faire des choses nouvelles » (chap. 14). Il est prévoyant, n'oubliant pas d'emplir sa valise « de pain, de chocolat, de jambon, de fruits, et de quelques mesures de vin » avant de prendre la fuite (chap. 16) ; il fait face à n'importe quelle situation, allant même jusqu'à pouvoir communiquer avec les Oreillons et les habitants d'Eldorado, par sa connaissance de nombreuses langues. Rempli d'ingéniosité, il prend des initiatives, sauvant la vie de son maître : il fait endosser à Candide la robe de jésuite du frère de Cunégonde (chap. 15). C'est lui qui, dans la métairie, assure seul la subsistance du groupe par son travail dans le jardin, avant que ses compagnons comprennent la leçon du derviche et du vieillard. Cacambo constitue un exemple de dynamisme et d'énergie, d'adaptation aux réalités, qui contribue à la formation de Candide.

■■■■■ LA VIEILLE

La vieille intervient miraculeusement au chapitre 6 comme un bon génie pour faire surgir Cunégonde, que l'on croyait morte, devant les yeux de Candide qui vient de subir les horreurs de l'autodafé. Elle contribue à donner au conte une tonalité merveilleuse et romanesque : elle offre à Candide une pommade magique qui guérit ses plaies ; elle invoque les saints et favorise la rencontre secrète entre les amoureux, jouant ainsi le rôle traditionnel de l'entremetteuse figurant dans les romans d'amour et d'aventure, des XVIIe et XVIIIe siècles. Par la suite, elle relance l'action par ses initiatives : organisation de la fuite des héros sur des chevaux andalous (chap. 9) et du mariage de Cunégonde avec le gouverneur de Buenos Aires. Forte de son expérience, résignée mais active, elle prodigue ses conseils aux deux jeunes gens, puis joue le rôle de Cacambo auprès de Cunégonde. Dans la métairie, c'est elle qui remarque la première combien leur vie est morne (chap. 30).

Mais la vieille, par le récit de sa vie malheureuse auquel Voltaire accorde une large place (chap. 11-12), sert aussi à restreindre aux yeux de Candide le champ de l'optimisme. Elle est en effet la figure du malheur, et en particulier des risques de la condition féminine. Sa vie de princesse déchue est malmenée par des infortunes de toutes sortes : souffrance physique (viol, mutilation d'une fesse, ravages de sa beauté par l'âge), mal moral (esclavage, perte de ses proches cruellement assassinés...). Sans cesse victime ou témoin des lâchetés et des crimes humains ou de phénomènes naturels, elle introduit dans le roman des maux qui s'ajoutent à l'expérience de Candide : castration de son ami le chanteur napolitain, peste à Alger... Ses voyages en Russie et en Amérique du Nord complètent géographiquement ceux du héros, et confirment la présence du mal partout sur la terre. Son expérience ruine les rêves d'amour et d'idéal du jeune Candide, lui apportant la preuve qu'un malheur particulier, loin de contribuer au bien général comme le soutient Pangloss, ne constitue qu'une partie du malheur de l'humanité. Pourtant, la vieille ne perd jamais sa volonté de vivre, et c'est elle qui aborde le problème du suicide, pour écarter cette solution (chap. 12).

■■■■ CUNÉGONDE

Grande passion de Candide, la jeune fille est un leitmotiv, chaque étape du récit étant ponctuée par le rappel de cette quête amoureuse : Candide s'enfuit d'Allemagne, « n'oubliant jamais Mlle Cunégonde » (chap. 3), et, à son retour en Europe, Voltaire souligne qu'il « espérait toujours revoir Mlle Cunégonde ». Retrouvailles et séparations constituent aussi un ressort non négligeable du conte.

« Haute en couleur, fraîche, grasse, appétissante », fille de baron, sensuelle et ingénue (chap. 1), Cunégonde est une parodie de la femme fatale : à l'inverse des romans sentimentaux où l'héroïne, plus belle et amoureuse que jamais, épouse son jeune premier, elle se trouve à la fin du conte en état de complète déchéance : déchéance sociale (la jeune noble est devenue esclave), déchéance physique (elle est enlaidie par le temps et les épreuves), déchéance morale (elle a perdu sa joie de vivre pour devenir acariâtre).

Mais l'idéalisation de l'amour était déjà battue en brèche dès les premiers chapitres : Voltaire présente malicieusement la baronne avant la jeune fille, or la mère pèse « environ trois cent cinquante livres » (chap. 1). Si l'on n'est pas aveuglé par l'amour, on peut craindre à tout le moins que la fille ne devienne un jour aussi énorme et qu'elle ne sache pas, peut-être, assumer son poids avec la même dignité si elle connaît beaucoup d'épreuves. D'autre part, elle semble incapable d'amour véritable : un solide bon sens la pousse à user de ses charmes pour obtenir des hommes survie, tendresse et bien-être financier. Elle n'aime ni « son abominable inquisiteur », ni « son vilain Don Issachar » (chap. 8), mais ne leur résiste que pour affirmer leur affection et s'assurer leur protection. Auprès du gouverneur Don Fernando, elle prisera le nom à rallonge, le pouvoir, de très belles moustaches et un amour résolu. En Candide, elle apprécie surtout, naïvement sensuelle, la blancheur de la peau (chap. 9).

L'enlaidissement et la mauvaise humeur des derniers chapitres sont donc préparés et justifiés, puisque la jeune femme a perdu sa beauté, source de son heureux caractère. Voltaire remarque qu'elle « ne savait pas qu'elle était enlaidie, personne ne l'en avait avertie » (chap. 29), mais nous pouvons supposer que son amertume et son insistance pour se faire épouser par Candide viennent de la conscience plus ou moins claire que lui seul peut encore vouloir d'elle. La déchéance physique de la vieille préfigurait aussi l'inévitable métamorphose de la jeune fille, qui n'a même pas l'énergie et l'invention de sa compagne.

Cunégonde, même si elle devient à la fin « une excellente pâtissière », est une remise en cause rédhibitoire de l'optimisme.

▆▆▆ LE GOUVERNEUR

Les portraits plus rapides ne sont pas moins suggestifs. Le gouverneur Don Fernando D'Ibaraa, y Figueora, y Mascarenes, y Lampourdos, y Souza, par exemple : « Il parlait aux hommes avec le dédain le plus noble, portant le nez si haut, élevant si impitoyablement la voix, prenant un ton si imposant, affectant une démarche si altière qu'on était tout déconcerté. » Un seul trait proprement physique, quatre traits moraux de même nature mais qui s'expriment eux aussi, immédiatement, par des attitudes physiques ; un rythme ascendant très vif, aussi sensible pour le lecteur que l'orgueil du gouverneur pour ses administrés... Cependant, la chute de la phrase est quelconque, sans force dans cette première version. Voltaire le sent, il corrige : (...) que tous ceux qui le saluaient étaient tentés de le battre » (chap. 13). Ce n'est pas là seulement, on l'a compris, une correction de style, elle achève le portrait. Nous voyons le gouverneur, non seulement comme il est, mais tel qu'il est vu, nous ressentons nous-mêmes l'effet, quasi instinctif, qu'il produit sur tous et qui découle à l'évidence des traits indiqués... De plus, les quelques paroles que va prononcer ensuite le gouverneur, son sourire amer, toutes ses attitudes, sont à l'unisson exact de son portrait — et sans que l'ensemble dépasse trente lignes, dont trois pour le seul nom du personnage répété exactement là où il faut.

On pourrait faire une analyse semblable pour le baron jésuite, Frère Giroflée, Don Issachar, l'abbé périgourdin, Mme de Parolignac. La caricature est invisible tellement tous les traits indiqués sont justes. Il arrive même qu'elle soit totalement absente, comme nous l'avons vu pour Martin mais aussi pour Pococuranté, Jacques ou la gentille Paquette, qui, réduite au sort de prostituée, ne provoque aucun sarcasme, mais fait pitié.

Le but essentiel de Voltaire est de ridiculiser la théorie de Leibniz, mais aussi de dénoncer la sottise et l'injustice humaines. Sa réussite tient au choix d'un récit à la fois réaliste et merveilleux, que pénètrent discrètement mais efficacement satire et ironie.

■■■■ RÉALISME ET OBJECTIVITÉ APPARENTE

Candide se présente sous la forme d'un récit à la troisième personne raconté par un narrateur anonyme qui ne saurait être Voltaire, puisque ce dernier, pour prendre de plus grandes distances par rapport à l'histoire, a pris le soin d'attribuer l'œuvre à un auteur allemand inconnu. Le conte s'ouvre de la manière la plus traditionnelle qui soit (« Il y avait en Vestphalie »), propre à rassurer le lecteur : ce n'est pas une discussion philosophique ni un traité théorique contre l'optimisme (comme aurait pu le suggérer le sous-titre[1]), mais bel et bien un récit relatant les aventures d'un jeune homme.

Les procédés narratifs suggèrent la plus grande objectivité : sur un ton apparemment neutre, Voltaire fait se suivre des descriptions sobres et brèves, reproduit des dialogues ou livre des faits à l'état pur sans jamais intervenir personnellement soit pour émettre un quelconque jugement soit pour apporter une accusation contre telle ou telle pratique. L'auteur se garderait bien d'imposer à son lecteur une critique qui, brutalement ou clairement formulée, perdrait sans nul doute sa force.

A un premier niveau donc, le lecteur va se révolter de lui-même contre les événements horribles qui lui sont présentés.

---

1. Le conte s'intitule *Candide ou l'Optimisme*

Car les faits rapportés ne sont pas seulement possibles, ils sont vrais : la terre a tremblé à Lisbonne, l'amiral Byng a été fusillé à Portsmouth, l'Inquisition a fait rôtir des gens au Portugal, les nations d'Europe se sont brûlé un nombre appréciable de villes et villages au nom du droit public, les viols sont tolérés de la part de messieurs les militaires après chaque combat héroïque, la vérole importée d'Amérique fait des victimes partout, on châtre des jeunes gens en Italie pour en faire des chanteurs de la Sixtine, le jeu et la tricherie sévissent dans les salons parisiens, etc. Voltaire, pour l'essentiel, n'invente pas, et tous ses lecteurs le savent. Il n'invente pas non plus pour les détails, même les plus inutiles d'apparence. Nous avons vu à quel point il suivait minutieusement, pour le chapitre de l'autodafé, les témoignages qui avaient été publiés en France et en Allemagne[1]. Il fait de même partout. L'énorme documentation qu'il a accumulée et décantée pour écrire son *Essai sur les mœurs* lui fournit, à chaque page, le détail caractéristique qui authentifie ou qui fait sourire, qu'il s'agisse de la monnaie, des repas, ou des coutumes. Même l'Eldorado s'insère dans la réalité, puisque ce pays imaginaire a longtemps été considéré comme réel : Voltaire indique sa source dans le texte (chap. 18), il a lu le récit du chevalier Raleigh, envoyé par la reine Elisabeth Ire en 1595 pour en retrouver le chemin.

Cette exactitude constante favorise la confiance du lecteur, et fait accepter les invraisemblances et les exagérations. Ainsi, la chronologie du conte mélange des faits historiques qui se sont déroulés à différentes périodes, ou montre à la même table, à Venise, deux princes dont l'un était mort quand l'autre naquit. Mais la rapidité du récit empêche le lecteur de se poser trop de questions. De plus, la caricature, pour le portrait de Pangloss, est énorme, mais elle est fondée sur le vrai[2], et proportionnelle à cette vérité en quelque sorte, comme celle de Mascarille, de Vadius et Trissotin chez Molière. Nous quittons le réalisme pour une sorte de surréalisme comique, terriblement efficace. Tous les grossissements deviennent possibles, les coïncidences les plus invraisemblables nous étonnent à peine, elles sont naturelles.

---

1. Cf. p. 40 et suivantes.
2. Cf. p. 54-55.

Voltaire peut faire arriver Candide à Lisbonne ou à Portsmouth juste au moment où il faut ressusciter Pangloss pendu et le baron transpercé, perdre, retrouver, reperdre et retrouver Cunégonde ; il peut inventer des situations de vaudeville aussi cocasses que le partage de Cunégonde selon les jours de la semaine entre un Inquisiteur et un Israélite, dénoncer à chaque page un ridicule ou une abomination, nous le suivons : nous sommes aussi admiratifs que Candide devant ce kaléidoscope imprévisible et pourtant impossible à mettre en doute, dix fois plus cohérent que toutes les démonstrations de Pangloss.

Et si nous avons tout de même envie, parfois, de crier à l'absurde, tant mieux, c'est encore un effet cherché : l'impression d'absurde est ce qui nous guérira le plus sûrement de l'optimisme béat et de l'harmonie préétablie. Voltaire joue d'ailleurs sur deux tableaux : tantôt il introduit dans le récit des hasards niant les liens de causalité des événements qui, selon Pangloss, mènent le monde vers le bien, tantôt il enchaîne rigoureusement les faits pour aboutir à des maux toujours plus grands et injustifiés. Parfois aussi, il mélange les deux procédés : toute l'histoire ne découle-t-elle pas d'une succession implacable au premier chapitre, malicieusement due au précepteur ? Pangloss exerce sa sensualité sur la femme de chambre, Cunégonde les voit et veut les imiter avec Candide derrière un paravent, son père passant par hasard les surprend et chasse le jeune garçon.

Ainsi la présentation même des péripéties, malgré ou plutôt à cause de l'objectivité apparente, infléchit le conte vers la satire, par une collaboration étroite de l'habileté voltairienne et des réactions spontanées du lecteur. Mais Voltaire ne s'en tient pas là.

■■■ LA CRITIQUE SOUS-JACENTE : L'EMPLOI DE L'IRONIE

La critique transparaît à travers le texte par des insinuations et des sous-entendus. Tout l'art de l'auteur consiste à ne pas exprimer directement sa pensée mais à la laisser aisément percevoir. Sans jamais se manifester ouvertement, il dirige les moindres détails pour aboutir à notre indignation. Prenons pour exemple le chapitre 3 qui décrit le conflit des Bulgares et des Abares : à aucun moment, Voltaire ne s'insurge contre les horreurs du combat qu'il décrit, au contraire, comme un observateur objectif et distant. Pourtant, la cruauté et l'absurdité humaines éclatent à chaque mot. L'auteur feint d'abord d'approuver la logique de la guerre et commence par admirer la beauté des deux armées rutilantes, rangées avant la bataille : « Rien n'était si beau, si leste, si brillant, si ordonné que les deux armées. » Assistons-nous à une parade de soldats de plomb ? Non, c'est par rangs entiers que vont se renverser des milliers de soldats qui joncheront atrocement le sol. Mais tout est bien, c'est du moins ce que soutiennent les tenants de la théorie optimiste, présents dans les expressions « meilleur des mondes » et « raison suffisante » (« La mousqueterie ôta du meilleur des mondes environ neuf à dix mille coquins qui en infectaient la surface. La baïonnette fut aussi la raison suffisante de la mort de quelques milliers d'hommes », chap. 3). L'intention de Voltaire est évidente, il ne veut pas seulement nous dégoûter de la guerre, mais aussi dénoncer le cynisme de l'optimisme philosophique, qui fait bon marché de la vie et des souffrances humaines. Une attaque directe n'aurait pas été plus percutante.

Cette démarche, propre au conte philosophique, est constante dans *Candide*. Elle consiste à feindre d'adopter le point de vue de l'adversaire et justifier une proposition manifestement fausse ou scandaleuse, de façon à en faire ressortir l'incohérence et y apporter un démenti formel. C'est la définition même de l'ironie.

LES PROCÉDÉS DE L'IRONIE

La distanciation

L'ironie procède fondamentalement dans *Candide* de l'existence d'un double regard. Le premier vient du personnage naïf et optimiste qui appréhende la réalité sur un mode euphorique, en disciple de Pangloss ; le second est un regard à distance, ironique, celui de l'auteur et du lecteur qui ne peuvent partager l'illusion de Candide. Ainsi, les « deux hommes habillés de bleu » du chapitre 23 ne sont que de vulgaires recruteurs. Dans la description de la guerre, quelques mots bien placés ruinent l'illusion optimiste sur sa beauté et sa logique : « enfer », « boucherie » (chap. 3). Le tableau est d'un réalisme cruel, on y voit mourir « des femmes égorgées, qui tenaient leurs enfants à leurs mamelles sanglantes ». La présence de ces notations dans le texte fait ressortir la cruauté de ceux qui apprécient l'« harmonie » musicale ou visuelle des batailles.

L'ironie s'appuie sur la loi du contraste entre les paroles ou les actes, qui apporte un démenti formel et comique aux propos de Pangloss ou Candide : au chapitre 5, à peine Pangloss achève-t-il de formuler un aphorisme optimiste, « tout est bien », que la plus horrible tempête assaille le vaisseau, provoquant un naufrage et la mort de la plupart des passagers. De même, l'autodafé provoqué pour empêcher les tremblements de terre est immédiatement suivi d'un nouveau séisme.

Voltaire utilise à ces fins toutes les ressources du langage. Pour créer un effet de distorsion, il use fréquemment du procédé de l'antiphrase, figure qui consiste à dire le contraire de ce que l'on veut faire entendre : plus le fait est atroce, plus le mot qui le qualifie est positif. Candide demande aux soldats bulgares « qu'on voulût bien avoir la bonté de lui casser la tête » et « il obtint cette faveur » (chap. 2). Au chapitre 23, le héros assiste à l'exécution d'un amiral : « Quatre soldats, postés vis-à-vis de cet homme, lui tirèrent chacun trois balles dans le crâne le plus paisiblement du monde. » Au chapitre 6, Candide assiste au déroulement d'un « bel auto-da-fé », défini comme « le spectacle de quelques personnes brûlées à petit feu ». L'expression prend un relief particulier si l'on sait qu'un autodafé est un brasier alimenté de chair humaine, puisqu'on y exécutait les hérétiques condamnés par l'Inquisition. Évoquer sans sourciller la beauté d'une telle pratique provoque sans aucun doute l'indignation. Ailleurs, une périphrase[1] laudative sert à désigner les cachots où l'on enferme Candide et Pangloss : ce sont « des appartements d'une extrême fraîcheur, dans lesquels on n'était jamais incommodé du soleil ».

---

1. Une périphrase est une figure de style qui consiste à dire en plusieurs mots ce qu'on pourrait exprimer par un seul.

Le jeu sur les causalités

Voltaire s'amuse à établir des relations de causalité aberrantes pour faire éclater l'absurde. « et pourquoi tuer cet amiral ? » demande Candide au chapitre 23. « C'est, lui dit-on, parce qu'il n'a pas fait tuer assez de monde. »

Ou bien il joue sur les causalités courtes, gommant la logique interne des faits pour n'en faire apparaître que la réalité dérisoire. Le critique Jean Starobinski nomme ce procédé « rétrécissement du champ causal ». Ainsi, la France et le Canada sont en guerre « pour quelques arpents de neige vers le Canada ». Raccourci tendancieux qui ne rend pas compte des véritables raisons de ce conflit.

Il lui arrive aussi d'instaurer des liaisons spécieuses entre les événements. Par exemple, « M. le baron était un des plus puissants seigneurs de la Vestphalie, car son château avait une porte et des fenêtres » (chap. 1).

Parfois aussi, il inverse les causes et les effets. Ainsi les « sages » de Lisbonne décident de procéder à un autodafé, alors qu'il n'y a pas d'hérétiques. Mais, parce qu'ils ont décidé l'autodafé, ils se mettront à la recherche de coupables pour en faire leurs victimes.

On pourrait multiplier les exemples : *Candide* présente à chaque instant des phrases ironiques, véritables armes de combat contre tout ce qui révolte l'auteur. N'oublions pas que le choix des noms propres lui-même suffit souvent à ridiculiser un personnage : Pangloss est « toute langue », le négociant Vanderdendur a effectivement « la dent dure » en affaires. Et, dès le premier chapitre, l'enseignement du précepteur se définit comme une « métaphysico-théologo-cosmolonigologie », terme ironique par sa longueur pédante et son jargon, mais aussi par sa fin, où l'auteur porte un jugement peu complaisant sur les « nigauds » qui professent de telles sottises.

9 Le style

Une langue simple, une écriture alerte et variée, une verve comique et burlesque, telles sont les caractéristiques essentielles du style de *Candide*. Voltaire ne s'appesantit jamais, il procède au contraire par coupures et ellipses, échappant ainsi aux dangers de l'éloquence et de l'enflure verbale. L'incohérence du monde et la candeur aveugle de l'optimisme apparaîtront de façon d'autant plus nette dans un climat de sécheresse et de dérision qui ne laisse aucune place à l'attendrissement. Quelques échappées exotiques et merveilleuses rythment le récit, conférant au conte sa tonalité orientale fort appréciée à l'époque. Mais cet orientalisme n'est jamais gratuit. Voltaire l'exploite habilement à des fins philosophiques : le paradis n'existe pas, si ce n'est dans les spéculations théoriques et les rêveries idéalistes.

■■■ UN TEMPO RAPIDE

Un rythme rapide entraîne le lecteur dans un tempo vif et alerte qui ne lui laisse guère le temps de reprendre haleine : à peine une scène s'achève-t-elle qu'une autre commence. Candide est chassé du château pour se retrouver quelques lignes plus loin enrôlé dans l'armée des Bulgares. Au chapitre 5, les héros marchent vers Lisbonne : « A peine ont-ils mis le pied dans la ville (...) qu'ils sentent la terre trembler sous leurs pas. » Aucun temps mort dans ce récit, où les faits sont parfois même concomitants. Ainsi Candide, après avoir été malmené par les Inquisiteurs (chap. 6), « s'en retournait, se soutenant à peine (...), lorsqu'une vieille l'aborda ». Les indicateurs temporels jalonnent la narration pour en précipiter le rythme :

– *le lendemain* : « Candide, tout transi, se traîna le lendemain vers la ville voisine » (chap. 2) ;

– *déjà... quand* : « Il avait déjà un peu de peau, et pouvait marcher, quand le roi des Bulgares livra bataille au roi des Abares » (chap. 2) ;

– *bientôt* : « La vieille reparut bientôt » (chap. 7) ;

– *aussitôt* : « Aussitôt Candide selle les trois chevaux » (chap. 9);

– *sans perdre de temps* : « On envoya sans perdre de temps un vaisseau à leur poursuite » (chap. 13) ;

– *sur-le-champ* : « Le sergent alla sur-le-champ rendre compte de ce discours au commandant » (chap 14) ;

– *en un clin d'œil* : « Tout cela se fit en un clin d'œil » (chap. 15), etc.

L'abondance des verbes et le recours fréquent au passé simple et au présent de narration permettent à Voltaire de renforcer l'impression de rapidité, par exemple, dans le récit de Cunégonde (chap. 8) :

> Ils égorgèrent mon père et mon frère, et coupèrent ma mère par morceaux. Un grand Bulgare, haut de six pieds, voyant qu'à ce spectacle j'avais perdu connaissance, se mit à me violer ; cela me fit revenir, je repris mes sens, je criai, je me débattis, je mordis, j'égratignai, je voulais arracher les yeux...

Cette célérité donne au texte une gaieté macabre : les calamités se succèdent sans fin, constamment ponctuées par l'énoncé d'une proposition optimiste qui les considère dignes du meilleur des mondes possibles, ce qui est manifestement absurde.

▮▮▮▮ SOBRIÉTÉ DE L'ÉCRITURE

Le style se caractérise par une large économie de moyens, avec une syntaxe simple et l'art de la touche juste.

On notera dans tout le texte la simplicité des phrases juxtaposées ou coordonnées par « et ». Voici, par exemple, la description du tremblement de terre (chap. 5) :

> Des tourbillons de flammes et de cendres couvrent les rues et les places publiques : les maisons s'écroulent, les toits sont renversés sur les fondements[1], et les

---

1. Les fondations.

fondements se dispersent ; trente mille habitants de tout âge et de tout sexe sont écrasés sous des ruines.

Les subordonnées sont rares, réduites à quelques relatives ou complétives, et, moins souvent encore, des circonstancielles. Cette syntaxe épurée contribue à la neutralité du ton voulue par Voltaire : les faits sont cités tels quels et nullement interprétés par l'auteur. En effet, l'emploi d'une circonstancielle dans un texte introduit souvent une nuance de subjectivité, ou un jugement implicite. Voltaire laisse au lecteur le soin de tirer ses propres conclusions.

Cette sobriété n'empêche pas l'auteur d'en dire beaucoup en quelques mots, par un art consommé de la touche juste, qu'il s'agisse de décrire un personnage (« Cunégonde, âgée de dix-sept ans, était haute en couleur, fraîche, grasse, appétissante », chap. 1), d'exprimer des circonstances extérieures (« L'air s'obscurcit, les vents soufflèrent des quatre coins du monde, et le vaisseau fut assailli de la plus horrible tempête à la vue du port de Lisbonne », chap. 4), de planter un décor (la vieille « mène Candide, par un escalier dérobé, dans un cabinet doré, le laisse sur un canapé de brocart, referme la porte, et s'en va », chap. 7), ou d'évoquer un état d'âme (« Candide, chassé du paradis terrestre, marcha longtemps sans savoir où, pleurant, levant les yeux au ciel, les tournant souvent vers le plus beau des châteaux qui renfermait la plus belle des baronnettes », chap. 2).

■■■ LES JEUX DU LANGAGE

La concision n'empêche pas les surprises et les jeux verbaux, où sous la transparence apparente se glisse tantôt une remarque psychologique très fine, tantôt l'intention critique, d'autant plus efficace qu'elle est plus discrète. Partout, et surtout dans les dialogues, les phrases de Voltaire s'amusent. La grammaire est violée, comme Cunégonde, « une fois, mais sa vertu s'en affermit » (chap. 8) : « Enfin mon Juif, intimidé, conclut un marché, par lequel la maison et moi leur appartiendraient à tous deux en commun. » Normalement, la première personne l'emporte sur la troisième pour l'accord du verbe ; ici, non. Cunégonde est considérée comme un objet.

Ailleurs, les passés simples participent ironiquement à la drôlerie : « Je vous dirai tout cela, répliqua la dame ; mais il faut auparavant que vous m'appreniez tout ce qui vous est arrivé depuis le baiser innocent que vous me donnâtes et les coups de pied que vous reçûtes » (chap. 7).

Et toujours la dénonciation satirique demeure au premier plan, quelle que soit la vitesse de la phrase. L'unité du conte est constamment présente : « Il s'en retournait se soutenant à peine, prêché, fessé, absous et béni » (chap. 6). Ce sont maintenant les participes qui sont à la fête, et la présence des coups au milieu des actions religieuses constitue une charge contre l'intolérance et la cruauté hypocrites de l'Inquisition.

Souvent aussi, les relatives ou les circonstancielles, tout en énonçant des faits, ridiculisent divers adversaires de l'auteur, sans que rien ne laisse prévoir ces pointes d'ironie sur la prétention nobiliaire par exemple (la sœur du baron ne voulut jamais épouser l'honnête gentilhomme qui était le père de Candide, « parce qu'il n'avait pu prouver que soixante et onze quartiers » , chap. 1), ou sur les mauvais poètes (« Et toute l'Italie fit pour moi des sonnets dont il n'y eut pas un seul de passable », chap. 11).

■■■■■ LE STYLE PARODIQUE

La parodie est l'imitation bouffonne d'une œuvre sérieuse dont on transpose comiquement le sujet ou les procédés. *Candide* est une parodie des romans sentimentaux fort appréciés à l'époque (*Pamela* de Richardson, *La Vie de Marianne* de Marivaux ou *Manon Lescaut* de Prévost) et qui décrivent les aventures à rebondissements multiples d'êtres vertueux en proie à la passion amoureuse (amours contrariés, séparations, retrouvailles, poursuites, duels, déguisements, etc.). Voltaire entreprend de discréditer l'imagination romanesque qui travestit la vérité et entretient l'illusion. Si l'existence est incohérente, les rêves ne le sont pas moins et il est vain de chercher refuge et consolation dans l'illusion romanesque. Il s'agit donc de mettre le lecteur en condition de prendre ses distances par rapport à la fiction et de se livrer à une lecture philosophique, laissant le champ libre à la raison. Tout l'avertit, en effet, qu'il ne doit pas accorder une grande crédibilité à l'histoire et qu'il doit se défier des pièges de l'imagination. La démarche de Voltaire consistera donc à utiliser pour les railler les poncifs des romans sentimentaux qu'il insère dans un contexte dérisoire et réaliste et qui, par conséquent, ne cadrent pas du tout avec les exigences d'idéal et de noblesse du roman traditionnel.

Ainsi, il emprunte le style emphatique des romans sentimentaux, caractérisé par les outrances d'expression. Plusieurs fois, Candide accueille les malheurs arrivés aux êtres qu'il pense perdus à tout jamais par une série composée d'apostrophes, de superlatifs et d'exclamations larmoyantes : « Mais, ô mon cher Pangloss ! le plus grand des philosophes, faut-il vous avoir vu pendre sans que je sache pourquoi ! Ô mon cher anabaptiste ! le meilleur des hommes, faut-il que vous ayez été noyé dans le port ! Ô Mlle Cunégonde ! la perle des filles, faut-il qu'on vous ait fendu le ventre ! » (chap. 6) ; « Ah, Pangloss ! Pangloss ! Ah, Martin ! Martin ! Ah, ma chère Cunégonde ! qu'est-ce que ce monde-ci ? » (chap. 23).

Les suites de verbes aux moments les plus émouvants appartiennent aussi à ce genre, par exemple lorsque Candide retrouve Cunégonde dans des circonstances romanesques au chapitre 7 :

> Le jeune homme approche ; il lève le voile d'une main timide. Quel moment ! quelle surprise ! il croit voir Mlle Cunégonde ; il la voyait en effet, c'était elle-même. La force lui manque, il ne peut proférer une parole, il tombe à ses pieds. Cunégonde tombe sur le canapé.

On y joindra les interrogations pressantes, toujours au chapitre 7 :

> Quoi ! c'est vous, lui dit Candide, vous vivez ! Je vous retrouve en Portugal ! On ne vous a donc pas violée ? On ne vous a point fendu le ventre (...) ? Mais votre père et votre mère ont-ils été tués ? (...) Et votre frère ? (...) Et pourquoi êtes-vous en Portugal ? et comment avez-vous su que j'y étais ? et par quelle étrange aventure m'avez-vous fait conduire dans cette maison ?

Voltaire crée de plus des effets de discordance en mêlant le registre sentimental au registre réaliste, désamorçant l'émotion du lecteur. Au chapitre 8, Cunégonde raconte l'épisode de l'autodafé, auquel elle a assisté. Elle a vu

Candide outragé par les inquisiteurs. Après un élan affectif digne du style romanesque (« Cette vue redoubla tous les sentiments qui m'accablaient, qui me dévoraient »), elle prononce des mots qui produisent un contraste brutal et tournent en dérision l'effusion amoureuse : « Quand vous eûtes été bien fessé. » L'utilisation du passé antérieur, temps noble par excellence, renforce cet effet curieux.

Voltaire a aussi recours aux histoires, sortes de récit dans le récit. Issues des *Nouvelles amoureuses* de Boccace, les histoires viennent s'insérer à partir du XVIIe siècle dans les romans français, et se veulent en général édifiantes, vouées à l'expression des grands sentiments. Le ton en est sérieux, le sujet grave. Rien de tel dans *Candide*, où les histoires de la vieille, de Cunégonde, de Paquette sont extravagantes et carnavalesques. Elles contribuent à discréditer l'illusion romanesque et, par-delà, les illusions de la vie.

■■■■ LE STYLE POÉTIQUE

La présence de l'exotisme constitue une échappée poétique. *Candide* est un conte oriental qui se prête aux images fraîches et gracieuses, autant de moments de répit dans ce monde cruel et absurde. Au chapitre 14, arrivant chez les Jésuites, Candide est conduit « dans un cabinet de verdure orné d'une très jolie colonnade de marbre vert et or, et de treillages qui renfermaient des perroquets, des colibris, des oiseaux-mouches, des pintades, et tous les oiseaux les plus rares ». Au chapitre 17, les héros parviennent dans le pays fabuleux de l'Eldorado, par une phrase musicale : « Ils voguèrent quelques lieues entre des bords tantôt fleuris, tantôt arides, tantôt unis, tantôt escarpés. » Le paysage a des allures féeriques, avec un sol jonché d'or, d'émeraudes et de rubis ; les hommes et les femmes sont « d'une beauté singulière » et ils se transportent grâce à de « gros moutons rouges ». Le repas offert aux voyageurs est plantureux :

> Quatre potages garnis chacun de deux perroquets, un contour bouilli qui pesait deux cents livres, deux singes rôtis d'un goût excellent, trois cents colibris dans un plat, et six cents oiseaux-mouches dans un autre ; des ragoûts exquis, des pâtisseries délicieuses ; le tout dans des plats d'une espèce de cristal de roche.

Dans la ville (chap. 18), ils peuvent admirer « les fontaines d'eau rose, celles de liqueurs de canne de sucre, qui coulaient continuellement dans de grandes places, pavées d'une espèce de pierreries qui répandaient une odeur semblable à celle du girofle et de la cannelle ». En Turquie apparaissent les produits orientaux, particulièrement chez le vieillard qui cultive son jardin avec ses enfants :

> Plusieurs sortes de sorbets qu'ils faisaient eux-mêmes, du kaïmac piqué d'écorces de cédrat confit, des oranges, des citrons, des limons, des ananas, des pistaches, du café de Moka qui n'était point mêlé avec le mauvais café de Batavia et des îles (chap. 30).

Outre le réalisme, ces notations apportent au conte un charme particulier, et signalent que la vie, malgré sa dureté, comporte des plaisirs simples et réels.

Voltaire a su jouer de tous les genres ou styles romanesques à la mode chez son public. L'ironie, la satire, la dénonciation des sottises et des injustices se parent avec lui des charmes du roman d'aventures, des histoires sentimentales, des récits et même... des textes licencieux. C'est ce mélange toujours parfaitement maîtrisé qui fait le charme des contes de Voltaire et en particulier de *Candide*.

QUELQUES CITATIONS

Sur l'optimisme

« Qu'est-ce qu'optimisme ? disait Cacambo. — Hélas ! dit Candide, c'est la rage de soutenir que tout est bien quand tout est mal » (chap. 19).

Sur l'enseignement de Pangloss

« Il prouvait admirablement qu'il n'y a point d'effet sans cause, et que, dans ce meilleur des mondes possibles, le château de monseigneur le baron était le plus beau des châteaux et madame, la meilleure des baronnes possibles » (chap. 1).

Sur la guerre

« Vous connaissez l'Angleterre ; y est-on aussi fou qu'en France ? — C'est une autre espèce de folie, dit Martin. Vous savez que ces deux nations sont en guerre pour quelques arpents de neige vers le Canada, et qu'elles dépensent pour cette belle guerre beaucoup plus que tout le Canada ne vaut » (chap. 23).

Sur la vanité de la métaphysique

« Qu'importe, dit le derviche, qu'il y ait du mal ou du bien ? Quand Sa Hautesse envoie un vaisseau en Égypte, s'embarrasse-t-elle si les souris qui sont dans le vaisseau sont à leur aise ou non ? — Que faut-il donc faire ? dit Pangloss. — Te taire, dit le derviche » (chap. 30).

Sur le travail

« Le travail éloigne de nous trois grands maux, l'ennui, le vice et le besoin » (chap. 30).
« Travaillons sans raisonner, dit Martin, c'est le seul moyen de rendre la vie supportable » (chap. 30).
« Cela est bien dit, répondit Candide, mais il faut cultiver notre jardin » (chap. 30).

Sur l'esclavage

« Quand nous travaillons aux sucreries, et que la meule nous attrape le doigt, on nous coupe la main ; quand nous voulons nous enfuir, on nous coupe la jambe : je me suis trouvé dans les deux cas. C'est à ce prix que vous mangez du sucre en Europe » (chap. 19).

BIBLIOGRAPHIE SOMMAIRE

Éditions de « Candide »

– L'édition d'André Morize (Marcel Didier, 3e éd., 1957), déjà ancienne, est dépassée en ce qui concerne la composition du roman et l'apparat critique ; mais l'introduction, les notes, les commentaires d'André Morize constituent toujours une documentation très riche.

– L'édition de René Pomeau (Nizet, 1979) tient compte de toutes les connaissances acquises plus récemment sur Voltaire et *Candide*.

– L'édition des *Romans et contes* de Voltaire, de Frédéric Deloffre et Jacques Van Den Heuvel (coll. « La Pléiade », Gallimard, 1979), est un instrument de travail indispensable. On y trouvera en particulier une remarquable présentation de *Candide*, accompagnée de 56 pages de notes et variantes.

– L'édition "Univers des Lettres" Bordas annotée par André Magnan. Texte intégral.

Études sur Voltaire et « Candide »

— Jacques Van Den Heuvel, *Voltaire dans ses contes* (Colin, 1967). Un grand classique, indispensable pour comprendre le lien entre la vie personnelle de Voltaire et ses contes.

— René Pomeau
. *Voltaire par lui-même* (Seuil, 1955).
. *La Religion de Voltaire* (Nizet, 1956).
. *La Politique de Voltaire* (Colin, 1963).
. *D'Arouet à Voltaire 1694-1734* (Voltaire Foundation, Oxford, 1985). Premier volume de la plus grande biographie jamais consacrée à Voltaire. Le deuxième volume, *Avec Madame de Châtelet*, paru en 1988, est dû à René Vaillot.

— André Magnan, *Candide ou l'Optimisme* (coll. « Études littéraires », PUF, 1987).
Une excellente synthèse.

— Jean Sareil, *Essai sur Candide* (Droz, 1967). Beaucoup de remarques suggestives, d'autres qui appellent la discussion.

— Pierre-Georges Castex, *Micromégas, Candide, l'Ingénu de Voltaire* (S.E.D.E.S., nouvelle édition, 1982). Excellentes analyses, précises et vivantes.

— Roger Peyrefitte, *Voltaire et Frédéric II* (Albin Michel, 1992). Une biographie romancée.

INDEX DES THÈMES ET NOTIONS

Références aux pages du *Profil*

Imprimé en France par l'Imprimerie Hérissey - Évreux
Dépôt légal : 15009 - Novembre 1995 - N° d'impression : 71218